新 潮 文 庫

女刑事音道貴子

未　練

乃 南 ア サ 著

新 潮 社 版

7617

未　練

CONTENTS

未　練　7
立川古物商殺人事件　67
山背吹く　125
聖夜まで　183
よいお年を　287
殺人者　307
音道貴子に会いたい　重里徹也

女刑事音道貴子

未練

未練

1

湯上がりの素足でフローリングの床を踏むと、うっすらと埃《ほこり》の感触があった。そういえば、ここのところ掃除機をかけていないことを思い出し、音道貴子《おとみちたかこ》は小さくため息をついた。まったく、何もしなくても埃だけはたまっていくものだ。

——まあ、明日ね、明日。

半ば慰めるように自分に言い聞かせながら、貴子は、まったくの素裸に、首からバスタオルをかけただけの格好で、すたすたと台所を横切り、大きく窓を開け放ったリビングに抜ける。思ったほど涼やかな風は吹き込んでいなかったが、その代わりに遠くから微《かす》かに電車の走る音が聞こえてきた。その密《ひそ》やかな音が、のどかな初夏の午後を感じさせた。レースのカーテンを通して見える空は、晴れているか曇っているか判然としない感じに白っぽく見え、それでも太陽の光を十分に通しているらしく、窓辺に立てば柔らかい陽射《ひざ》しを受けている町並みが見えた。夜勤明けで寝不足の目には、それくらいの輝きでも十分過ぎるほどだ。

貴子は首からかけたバスタオルでまだ濡《ぬ》れている髪を拭《ぬぐ》いながら、大きく息を吐き出した。丸一日以上も、窮屈な服に重ねて受傷事故防止のための耐刃《たいじん》防護衣まで着込んで、全身を締めつけていたのだ。やっと帰ってきて、せっかく風呂《ふろ》に入って多少の凝りもほぐしたのだから、後ははしたないと言われようが、何と思われようが、裸でいるに限る。どうせ、見とがめる者など、いるわけでもない。それに、これでも身体《からだ》の線は、まだそれ程捨てたものではないと、我ながら思っている。万に一つ見られたとしても、顔をしかめられるようなものではないはずだ。行儀の善《よ》し悪《あ》しは別として。

――ああ、やれやれ、だわ。

三日に一度は巡ってくる夜勤明けだが、長い夜を過ごして新しい朝を迎え、こうして家に帰り着く度に、最近の貴子は「やれやれ」と思う。誰の目も気にせず、こうしてまったく無防備に過ごせる空間が、しみじみとありがたい。特に季節が良くなってきて、こんな格好でも寒さを感じなくなったことが嬉《うれ》しかった。

窓辺から離れると、貴子は髪を拭《ふ》く手は休めずに台所に行き、冷蔵庫から缶ビールを取り出した。手にした缶の冷たさも心地良い。立ったままでプルリングを引き、その場で喉《のど》に一口流し込む。思わず「はあっ」と、声にならない声が出た。

リビングルームに戻りかけ、気がついて玄関先に置きっぱなしになっていたコンビニエンスストアの袋を取り上げる。帰りがけに立ち寄って買ってきた品の中から、枝豆とサラダ、鶏《とり》の唐揚げを取り出して、豆腐とハム、野菜の煮物は冷蔵庫に入れ、残ったレトルトカレーやカップ麺《めん》などは、袋ごとテーブルの上に置いた。陽の射し込まない台所にいると、換気用の通風口から、ひんやりとした風が細く流れ込んでくるのが感じられる。汗の退《ひ》き始めている背中が、すうっと涼しくなって、それさえも、くすぐったいような解放感につながった。

片手に缶ビールを持ち、もう片方の手に惣菜《そうざい》類を重ねて持って、貴子はリビングルームに戻った。どこかからパトカーのサイレンの音が聞こえる。人ごとだと思って聞いていると、サイレンの音ものどかに感じられるものだ。取りあえず、下着はつけずにジョギングパンツだけをはき、上は相変わらずバスタオルをかけただけの格好で、小さなラグマットの上にあぐらをかくと、貴子は改めて缶ビールを傾けた。

「極楽、極楽」

思わず独り言が出た。まるで中年男の台詞《せりふ》だと、少しおかしくなる。だが、誰に遠慮することも、何を思い悩むこともなく、昼間からこうしてビールを飲んでいられる幸せは、まさしく「極楽」の気分だ。もう少し暑くなれば、開け放った窓からは蚊や他の虫が入ってくるかも知れないし、エアコンも入れたくなるだろうが、今の季節は、その必要もない。可能な限り自然な状態で過ごせるのが、一番だ。

——これ以上のことを、そう望めるものでもないのかも知れない。

そろそろ午後のワイドショーが始まるだろう。貴子は、夜勤明けの日に多いパターン通り、今日もそれを見ながら、ベッドに転がり込もうと考えていた。そして素肌のまま、シーツの感触を楽しみたい。少しばかり不用心かも知れないが、ここはマンションの三階なのだし、こんな昼間から押し込んでくる馬鹿者《ばかもの》もいないだろうと考えれば、窓も開けたままで良いだろう。

——もう、すぐ寝ちゃうわ、きっと。

枝豆をつまみながら、それにしても忙しい夜だったと、改めて思う。昨晩も、貴子たちは例によって一一〇番通報に耳を澄まし、重要と思われる事件について、西東京を走り回った。中でも、午後十一時を回った頃に通報がなされた、貴子と同年代の女性が被害にあった強姦《ごうかん》未遂事件には、少なからず衝撃を受けた。

実は、この二週間ほど、三十代から四十代の女性ばかりを狙《ねら》った暴行事件が連続して発生し、警察では、既に四件の被害届を受理していた。被害に遭った女性は、いずれも背後から口を塞《ふさ》がれ、刃物を突きつけられて茂みに連れ込まれた上、下着を脱がされて下半身の写真を撮られている。だが、誰もが直接の暴行は受けてはいなかった。昨晩の被害者は、お願いだから助けてと、バッグから財布を取り出して差し出したという。野球帽にマスクをしていたという犯人は、女性の写真を撮影した後、差し出された財布をひったくるように奪うと、そのまま走って逃げ去った。

被害者がすぐに携帯電話から一一〇番通報を行ったことと、犯人の着衣などを比較的明瞭《めいりょう》に記憶していたこと、さらに、その後の捜査陣の立ち上がりが迅速だった結果、それから約二時間後、一人の男が身柄を確保された。奪った金を使ってゲームセンターで遊んでいた被疑者は、十四歳の少年。中学生だった。彼のジーパンのポケットからは、不用意にも被害者から奪い取った赤い革製の財布と使い捨てカメラが、そのまま出てきた。

「冗談じゃねえよなあ」

捕まえたこちらの方が、途方に暮れるような有様だった。一見した限りでは、まるでおとなしそうな、こちらの質問に対しても実に素直に、淡々と返答を寄越す少年だったのだ。貴子の所属する機動捜査隊の任務はあくまでも凶悪事件の初動捜査に従事することだから、少年の身柄を所轄《しょかつ》署に引き渡した段階で、その任務を終える。だから、正確な犯行の動機や少年を取り巻く環境、さらに余罪などについての取り調べは所轄署の刑事課が行うことで、その結果は、まだ知らされていない。とにかく今頃、少年の家族や学校などが、大変な騒ぎに巻き込まれていることだけは、確かだろうと思われた。

「要するに、誰が何をやったって、不思議じゃない世の中になってきてるのかもな。世も末だよ」

貴子とコンビを組んでいる八十田《やそだ》も、ため息混じりに言っていた。そして、少年は何故《なぜ》、自分の母親に近いような年頃の女性ばかりを狙って襲ったのだろうかという話になった。

「おっちゃんだって、もしも自分が息子みたいなガキに襲われたって分かったら、複雑な心境にならないか？」

八十田は、そんなことも言っていた。

——息子みたいなガキ。

確かに中学生くらいの子どもがいたとしても、さほど不思議ではない年齢になりつつある。そんな少年に襲われ、辱《はずかし》められたら、自分だったらどんな心境になるだろう。もしも自分の息子が、自分と同年代のよその女性を襲ったと知らされたら、母親として、どんな衝撃を受けることだろうか。

——冗談じゃ、ないだろうな。たまったものじゃないわ。

今頃、少年の母親はどうしているのだろうかと思う。だが、母親だからといって、誰もが同様の反応を示すとも限らないのだ。「ああ、そうですか」だけで済ましたり、どこへなりとも連れていってくれなどと平気で言ってのける親も、最近は珍しくなくなってきた。

ゆっくりとビールを飲みながら、無意識のうちにため息が出た。年齢や外見だけでは判断できないような犯罪者が、このところ激増してきていることを、貴子は日常の仕事を通して痛感している。いかにも凶悪な顔つきの被疑者など、まるでいなくなってきていると言っても良いくらいだ。誰もが普通に街を歩いている、ごく普通の青年に見える。そんな連中が、ケンカ傷害や万引き程度ならまだしも、シャブに手を出し、人を刺し、または女性を襲っている。

人間の、どの部分を見て信じる指標とするか。これからは貴子たちの仕事も、余計に厄介になっていくかも知れない——そこまで考えて、貴子は我に返ったように小さく首を振った。

——やめた、やめた！

せっかく早く帰宅して、ゆっくりと風呂に入り、こうしてのんびりしているときに、何も気の重くなるようなことを考えることはない。第一、貴子が一人であれこれと考えを巡らしたところで、この世の中が変わるわけでもないのだ。せめて自分だけは、個人としても、いわゆる法の番人としても、恥ずかしくない日々を送っていれば、それで良い。

ビールを飲み、テレビのリモコンに手を伸ばしかけたときだった。玄関の方で電子音が鳴り響いた。下駄箱《げたばこ》の上に置いたままになっているバッグの中で、携帯電話が鳴っているのだ。貴子は急いで立ち上がり、玄関に突進した。素早く携帯電話を取り出して耳に当てると、微かなノイズと共に「あ、もしもし」という声が聞こえてきた。

このところ、すっかり耳に馴染《なじ》んだ感のある声が「高木です」と名乗った。貴子は、途端に気取った声で「あら」と答えた。

「今、忙しいですか」

男性にしてはトーンの高い高木の声は、いつ聞いても妙に気弱そうな、自信のなさそうな印象を与える。直接、会ってみるとそうでもないのに、声を聞いている限りは弱々しい、頼りない印象を与えることで、彼は随分、損をしているのではないかと、ふと思った。いや、こういう印象の方が当たっているものなのかも知れない。いくら外見が立派でも、実は小心な男。

「仕事中だったんでしょう？」

「ああ、ええ、もちろん」

「仕事場では、制服ですか」

高木は、貴子の職業を知らない。無論、今日が夜勤明けで、既に帰宅していることも知らないはずだった。貴子が曖昧《あいまい》な返事をしている間に、彼は「見てみたいな」と言った。その途端、貴子は自分が今、あられもない姿で、しかも玄関に立ち尽くしていることに気づいた。呆《あき》れるばかりの羞恥心《しゅうちしん》のなさ。まったく。

「ところで僕、今夜あたり安雲《あすみ》ちゃんの店に行こうと思ってるんですけど。音道さん、行かれないかなと思って」

「今夜、ですか？」

無意識のうちに、首からかけたバスタオルで身体の前半分だけでも隠すような仕草をしていた。

「他に、約束でもありますか」

これから一眠りすれば、夜はまた外出くらい出来るとは思う。だが、再び化粧をして、格好をつけて出かけるのも面倒な気がした。身軽に動くのは仕事時間だけでたくさん。たまには、だらだらしていたい。

「いや、無理にっていうんじゃないんですが、せっかくだから、どうかなと思って」

「大丈夫です。八時くらいには、行かれると思います」

乾き始めた髪を、今度は手ぐしで撫《な》でつけながら、貴子はよそ行きの微笑《ほほえ》みさえ浮かべていた。こういうチャンスを逃すなと、日頃から安雲に言われていることを思い出したからだ。この誘いを断ったことが分かれば、両性具有のような友人に、また毒舌を極めて小言を言われることだろう。馬鹿みたい。何、格好つけてんのよ。運命の女神さまはね、黙って澄ましこんでる年増女《としまおんな》なんか、踏みつけて先に行っちゃうものなのよ、とでも。

「僕は七時には行かれると思うんで、待ってますから」

そして、電話はあっさりと切れた。せっかくリラックスしていた気持ちが、いっぺんに夜に向かって緊張の準備を始める。

――まあ、仕事っていうわけじゃないんだから。

それにしても、男から誘われて飲みに行くだけで、こんな覚悟をしなければならないなんて、と思う。もう少し、浮き浮きしたって良さそうなものなのに。結局は、一人でこうして裸で動き回っている方が、ずっと気楽で良いと分かっているのだ。

――まだまだ。女を捨てるわけにはいかないんだから。

だから、多少の窮屈くらいは我慢して、自分を女として扱ってくれる存在に会いに行く。そうと決まれば、あまりのんびりもしていられない。貴子は再びリビングに戻り、立ったままで缶ビールの残りを一息に飲んだ。食べ残した惣菜類を冷蔵庫にしまい、そのままベッドに倒れ込む。さすがに少し冷えたらしい。素肌に毛布を巻きつけて、ようやく目をつぶることが出来た。今夜は何を着て行こう、出かける前に安雲に電話を入れておこうかと考えているうちに、すとん、と眠りに落ちていった。

2

その夜、午前二時を回った頃に帰宅した貴子は、後ろ手に玄関のドアを閉めるなり、天を仰ぐような姿勢で、思い切り大きなため息をついた。久しぶりに気取って履いたパンプスの中で、足がじんじんと痺《しび》れている。緊張が解けたせいか、急にアルコールが全身を駆け巡り始めて、目眩《めまい》とも眠気ともつかない眩惑《げんわく》に襲われる。肩からかけたバッグを下ろすのさえだるくて、ゆっくりと靴を脱ぎながら、身体《からだ》を傾けた拍子に、ずり落とすように床に置いた。

——馬鹿みたい。

のろのろと台所を突っ切り、リビングの明かりを灯《とも》す。さっき風呂《ふろ》上がりに、爽快《そうかい》な気分で飲み干したビールの空き缶だけが、テーブルの上に虚《むな》しくのっていた。せっかくの夜勤明けだったのに、思い切りゆっくり過ごそうと思っていたのに、高木などという男からの電話一本で、すべてが台無しになった。我ながら嫌になる。

――何を期待していたんだか。

高木は、しごくあっさりと、いかにも当然とでもいうように「ホテルに寄ろう」と言った。彼が送ってくれると言うから、一緒にタクシーに乗り込んだ貴子は、どう返答すれば良いものかと一瞬迷い、咄嗟《とっさ》に忘れ物をしたから安雲の店に戻りたいと答えた。薄暗いタクシーの車内で、高木の顔が皮肉っぽく歪《ゆが》められたのを見たとき、貴子は、嘘《うそ》の下手さに我ながら自己嫌悪《けんお》に陥り、一方でこんな言い訳をさせられた怒りも広がっていくのを、止めることが出来なかった。

「それ、拒絶してるっていうことかな」

高木は、プライドを傷つけられたような口調で呟《つぶや》いた。そうね、その通り、と答えてしまえば、今後、安雲の店にさえ行きづらくなる気がした。貴子は黙っていた。

「子どもじゃないんだしさ、いいじゃないか」

「でも私たち、まだそんな関係じゃないでしょう」

「だから、これから、そういう関係になるんじゃないか、ね？　お互い、大人なんだからさ」

高木は諦《あきら》めきれないという口調で、半ば声をひそめながらしつこく何度も同じようなことを言い続けた。綺麗《きれい》だよ。魅力的だ。僕は本気なんだ。分かるだろう。その間にも、タクシーは滑るように渋谷に向かっていた。貴子は大きく息を吸い込むと、姿勢を変えて正面から高木を見つめた。

「今はね、子どもの方がすぐにホテルに行きたがるものよ。大人なんだったら、遊ぶ相手を選んだ方がいいと思うわ」

そして、貴子はタクシーを降りてしまった。そのまま家に帰っても良かったのだが、怒りがおさまらなかったから、結局また安雲の店に戻ることにした。その間にも、何度となく携帯電話が鳴り、耳に当てる度に高木の哀れっぽい声が聞こえてきた。何度、切っても、高木は執拗《しつよう》に電話をかけ続けてきた。

「あらまあ、それで、あんた、とうとう怒鳴りつけちゃったわけ？」

「怒鳴ったりしやしないわよ。ただ、『いい加減にしなさい』って、言っただけ」

相変わらず全身を磨きたて、男でもなければ女でもない、ついでに言えば日本人にも見えないような雰囲気の安雲は、呆れたように腕組みをして、「ふうん」とため息をついた。

「あの人って、そういうタイプだったのかしらねえ」

国家公務員だという高木は、もともと安雲の店の常連客だった。安雲の店は、おかまバーとは言ってもショータイムなどがある騒がしい店ではなく、カラオケの代わりにピアノが一台置いてあるというタイプの造りで、あとは純粋に安雲や他の従業員であるおかまたちとの会話を楽しむスタイルである。最初は接待の流れでやってきたという高木は、そんな安雲の店を随分気に入ったらしく、一年ほど前からは一人で訪れるようになっていたらしい。

人を見る目には自信があるという安雲が、「公務員同士なんだしさ」と貴子と高木とを引き合わせたのは一カ月ほど前のことだった。今年で三十六になるという高木は、安雲の眼鏡にかなうだけのことはあって、確かにそれなりの好印象を与える男だった。だから貴子は、安雲の好意を無にしないためと、これもチャンスの一つかも知れないと考えて、携帯電話の番号を教えたのだ。たまに会って、または電話で会話を楽しむ程度の、そんな間柄で結構だと思っていた。

「だけど、高木ちゃんの言い分だって分からないじゃないわねえ。いい年をした男と女がよ、茶飲み友だちが欲しいっていうだけで、わざわざ誘ったりなんか、しやしないじゃないのよ」

「だからって、私はそういう男遊びをしたいと思ってるわけじゃないでしょう」

高木がいたときは多少なりとも気取りがあったが、一人になってからは、貴子は自分のペースで水割りを飲んだ。

「遊び相手が欲しいんだったら、相手を見てものを言ってもらいたいわ」

「おお、怖いこと」

「当たり前よ。第一、私たちはまだ、お互いの電話番号以外、ほとんど何も知らないのよ」

「向こうだって、あんたが怖い女刑事だなんて知らないから、気軽に誘ったんでしょうしね。ああ、でも可哀想《かわいそう》。高木ちゃん、傷ついてるわよ、今頃」

「私だって、傷ついてるのっ」

安雲は貴子をなだめながら、「おぼこ娘みたいね」と笑った。今どき流行《はや》らないんじゃないの。あっさり割り切って、楽しめばいいじゃないの。あんた、いいわよ、男の肌って、などと続けられて、貴子は余計に不快になった。それくらいのことは分かっている。だが、一時しのぎで遊んだところで、結局は余計に一人がつらくなるということも分かっているから、そうしないだけのことだ。

——一人前のおかまなら、もうちょっと女ごころが分かってもいいはずなのに。怒りの矛先は安雲にまで向いていた。酔った勢いで乱暴に服を脱ぎ捨て、ストッキングを丸めて放り投げる。こんなに飲む予定ではなかった。明日は早起きをして、ツーリングしようと思っていたのに。

シャワーを浴び、化粧を落としながらも、高木の顔やタクシーの中での囁《ささや》きが繰り返し、順番に思い出された。

——子どもじゃないんだから。

馬鹿《ばか》野郎。子どもじゃないから、やすやすと男と寝たり出来ないのではないか。後で引きずるのが嫌だから、臆病《おくびょう》にもなっている。子どもじゃないから、軽い気持ちで遊んだりして、余計な回り道はしたくないと思っているのだ。

例によって首からバスタオルをかけただけの格好で台所に戻り、今度は大きなペットボトルにそのまま口をつけてウーロン茶を飲んでいるとき、また携帯電話が鳴った。貴子は思わず舌打ちをして、玄関先に放り出されたままのバッグを睨《にら》みつけた。高木に決まっている。こんな真夜中に緊急の用がある人間ならば、まず間違いなく、最初に自宅の電話を鳴らすはずだ。

一体、高木という男は何を考えているのだ。貴子は、数回鳴った後でメッセージ機能が作動しているらしい携帯電話をバッグから取り出すと、そのまま電源を切ってしまった。

「馬鹿野郎っ！」

その時、不意に大きな怒鳴り声が響いた。貴子は一瞬、全身が硬直する程に驚いて、周囲の気配を探った。だん、だん、とドアを叩《たた》く音が響いてくる。だが、それは貴子の部屋のドアを叩く音ではなかった。玄関先で、バスタオル一枚だけの格好で、貴子は息をひそめた。ドアを叩かれているのは、隣室だろうか。その隣だろうか。まさか、高木がやってきたのか。どうして、ここが分かったのだろうと必死で考えをまとめようとしていた矢先に、再び怒鳴り声が響いた。

「畜生、この野郎！　出て来やがれってんだよ！　ど阿呆《あほ》！」

思い切り張り上げた大声だった。明らかに高木の声とは違っている。貴子は冷や汗が出る思いでため息をつき、外を覗《のぞ》こうにも、こんな格好ではどうしようもないことに気づいた。

――あんまり続くようなら。

出て行った方が良いだろうか。だが、別に貴子が動かなくとも、被害に遭っている当事者か、または隣近所の誰かが一一〇番することだろう。警視庁の通信指令本部には、こういう嫌がらせなどに対する苦情が、一日に何十件となく寄せられている。警察には民事不介入という原則があるが、傷害などの事件に発展しかねない場合もあるから、通報があれば、取りあえず所轄《しょかつ》署の地域課の警察官が駆けつける。管轄違いの、しかも機動捜査隊員である貴子には、出る幕はないということだ。

それにしても物騒な声だったと考えながら、取りあえずいつでも外に出られる格好だけはしておこうと考えて、貴子は何となく足音を忍ばせて寝室に行くと、昼間穿《は》いていたジョギングパンツと、Tシャツを身につけて、ベッドの上に倒れ込んだ。少しの間だけでも、気をつけていようと思ったのに、耳を澄ませる間もなく、すぐに眠ってしまった。

3

休日は瞬《また》く間に過ぎ去る。ことにたっぷりと寝坊した日ともなると、掃除と洗濯をしただけで一日が終わってしまう。そして翌日は、また夜通しの勤務だ。機動捜査隊の勤務体制は三部制だから、まとまった休日は取れない代わりに、すぐに休みがやってくる。

次の夜勤明けの日も、貴子は午後一時を回った頃には吉祥寺まで戻ってきた。梅雨入りが近いのか、天気は悪くなかったが湿度が高く、厚ぼったい空気が全身にまとわりつく、嫌な日だった。こういう日が何日も続けば、早くも夏バテでもしかねない。駅前の喧噪《けんそう》を抜け、庶民的で古い商店の並ぶ道を通って、やがて一つの角を曲がると、人通りは途絶え、道は閑静な住宅街へと続く。真《ま》っ直《す》ぐ帰るときは、そのまま直進するのだが、その日、貴子はさらに一つ目の角を曲がった。商店街と住宅街のちょうど境目辺り、表通りからも外れた、目立たない一角にある、一軒の店が思い浮かんでいたからだ。

『紫陽花《あじさい》亭』というその店は、三階建てのマンションの一階に入っている、一見すると喫茶店のような雰囲気の、こぢんまりとした店だった。焦《こ》げ茶色の木製の外壁にはアイビーを這《は》わせており、その上に、もともとは紫陽花になぞらえた青か紫色をしていたのだろうが、今やすっかり陽に焼けて色あせた日除《ひよ》けが張り出ていて、そこには、店の名と「キッチン」という文字が白く入っている。

吉祥寺に越してきて間もなくその店を見つけた時、貴子は洋食屋をイメージして店のドアを開けた。ところが入ってみると、店内はカレーの匂《にお》いに満ちており、メニューは一種類だけだと分かった。やはり木目を生かした板張りの壁に大きく貼《は》られている品書きは、いかにも不似合いで、そこには、「辛さは調節出来ます」「大盛り出来ます」と但《ただ》し書きを添えられて、「特製カレー」の文字だけが黒々と書かれていた。おまけにその店の店主は、屋号からは想像もつかない、というよりも、料理人らしからぬ、いかめしい風貌《ふうぼう》の、ごま塩頭の大柄な中年男だった。

おずおずと席についた貴子の前に立った店主は「普通？」とだけ言った。そして、貴子が小さく頷《うなず》くのをちらりと見ただけで奥に引っ込み、ほんの二、三分後には、すべての具がすっかり煮溶けているカレーライスを運んできた。

まろやかで、濃いカレーだった。初めはさほど感じないのに、やがて辛さに舌が痺れ、汗が吹き出してくる。だが、水が欲しいと声をかけると、厳《いか》つい顔の店主は首を横に振った。食事中に水を飲むと、余計に辛さが増すからというのだ。

「食べ終わったらヨーグルトを出しますから」

ハンカチで汗を押さえながら、ひりひりする口をぽかんと開けている貴子に、それだけ言い残して、彼は奥に引っ込んでしまった。そして、やっとの思いでカレーを食べ終えると、言葉通りに、よく冷えたドリンクヨーグルトを出してくれた。熱く痺れている舌に、とろりとした甘酸《あまず》っぱいヨーグルトの感触が心地良かった。

以来、貴子は週に一度は『紫陽花亭』に通っている。『紫陽花亭』のカレーは、貴子がこれまでに食べたどのカレーとも異なっていた。辛いが甘い、こくがあるのにしつこくない、そういうカレーだった。

しばらく通ううち、『紫陽花亭』という店は、店主が一人で切り盛りしているらしいことが分かってきた。さらに、初めて訪れたときには客は一人もいなかったが、実は意外に男性の常連客が多いことも分かってきた。中には、汗を拭《ふ》き拭きカレーライスなど食べる姿が似合わないような中年の客も少なくない。彼らの中の数人は、店主を「山ちゃん」と呼んだ。だが、店主はどういう呼ばれ方をし、どういう客に対する時でも、特に表情を変えるでもなく、実に淡々とした態度を変えなかった。貴子のことにしても、一年も通っていればとうに覚えているはずなのに、素っ気ない態度は最初とまるで変わらない。それが、貴子には心地良かった。必要以上に愛想を振りまいたり、気兼ねをすることもないのが、かえって嬉《うれ》しかった。

「普通？」

「辛めにしてください。少しだけ」

その日も、貴子はいつも決めている窓辺の席に腰掛け、『紫陽花亭』の店主を見上げた。厳つい顔の店主は目顔で頷いただけで、そのまま大きな背中を見せて奥に引っ込む。昼のピークを過ぎたのか、店にはもう一人、若い男の客がいるだけだった。貴子は頬杖《ほおづえ》をつき、ぼんやりと窓の外を眺めた。外壁を這わせているアイビーの緑が窓枠に沿って見えている。その向こうには、夏に向かう町並みが続いていた。

——やれやれ、だわ。

昨夜は、酔っ払いの喧嘩《けんか》、盗難車両の逃走劇に加えて、いわゆるノックアウト強盗が出た。正面から歩いてきて、いきなり顔を殴りつけ、その上で鞄《かばん》を盗むという手荒なものだ。被害者は二十代のクラブホステスで、顔の右半分が大きく腫《は》れ上がり、口の中を切って、さらに歯が折れていた。犯人は若い男だったというが、被害者の記憶も曖昧《あいまい》で、結局、昨晩は捕まえられなかった。

「お待ちどおさま」

五分もしないうちに、目の前に大きな皿が出された。貴子は仕事のことを頭から追い払い、さあ、汗をかくぞ、辛さに耐えてみせるぞと気合いを入れて、スプーンを手に取った。特に辛くしてもらったときには、休まず、機械的に食べる方が辛さを感じないことを体得している。

三分の一も食べないうちに、汗が滲《にじ》み始めた。ほんの少しだけと言ったつもりだったが、普段に比べるとかなり強烈に辛味が増している。単なる唐辛子の辛さとも異なる、この辛さは何なのだろうかと考えながら、あらかじめハンカチを用意しておかなかったことを悔やみ、思わず口から息を吸い込みながらバッグを探りかけたときだった。カウベルがガラン、と鳴って、店の扉が開かれたことを告げた。そして次の瞬間、「おういっ」という大きな声が響いた。取り出したハンカチで額を押さえながら咄嗟《とっさ》に振り返ったとき、今度は背後から「困ります」という店主の声が届いた。

「いいじゃあねえか。客として、来てやったんだからよ。さあ、食わしてもらおうか、なあ」

その客は多少ふらつく足取りで、ゆっくりと貴子の視界に入ってきた。四人掛けの席に浅く腰掛け、投げ出した足を大きく開いて椅子《いす》に背をもたせかける。ゴルフ用のような紺色のスラックスに茶色い靴。半袖《はんそで》のポロシャツは、グレーと茶色の柄で、全体にくすんだ印象を与える。そして、店主を斜め下から見上げているその顔は、つやのない悪い色をしていた。面長だが、頬はそげ、目も落ちくぼんで、眉《まゆ》の太さばかりが目立つ。半分以上は白くなっている髪をオールバックにして、男は全身から、これまでの荒《すさ》んだ人生を物語るような雰囲気をまき散らしていた。

「取りあえず、だ。ビールでも出してもらおうか」

だが、普段はすぐに厨房《ちゅうぼう》に引っ込む店主は、男の前に立ったままだ。そして、もう一度、押し殺した声で「困りますから」と言った。それでも、客は口の端を歪《ゆが》めるような笑い方をするばかりで、まるで動こうとする気配がない。貴子は汗を拭《ぬぐ》い、またスプーンを手に取りながら、ちらちらと観察を続けた。

「もう、大分、酔ってるんじゃないですか」

「悪いかよ」

「昼の日中から、ですか」

「酒を飲むのに、お天道《てんと》様の機嫌なんか、取ってられるかよ。それより、おい、ビールって言ってんだろうが。ぼけっと突っ立ってねえで、早く持ってこいよ」

店主は動かなかった。どうも険悪な雰囲気だ。貴子は繰り返し、口から熱い息を吐き出しながら、自然にカレーを食べるスピードを落としつつあった。普通ならば、さっさと食べ終えて、この場を去りたいと思うものだろうが、その一方で好奇心が働いている。

「早くしろって言ってんだろう！」

やがて、男が怒鳴り始めた。店の奥で、カレーを食べ終えた後も雑誌を読んでいた若い男の客がそそくさと立ち上がった。貴子の方は、あと半分というところだ。辛いけど、ゆっくり味わおうと思っているとき、「お姉ちゃん」と声をかけられた。男がにやにやと笑いながら、こちらを見ている。

「うまいかい、ここのカレーは」

知らん顔も出来ないから、貴子は小さく頷いた。男は「そうだろうな」と大きく顎《あご》をしゃくるようにして、「そりゃあ、そうだ」と繰り返した。

「何せ、このカレーはよ、俺の女房の、秘伝のカレーなんだよ。お、れ、の、な、女房が、あの野郎に教えた、カレーなんだ」

こんな時、どういう顔をすれば良いのだろうかと考えていると、レジを打ち終えた店主が戻ってきた。男は上唇だけがめくれるような笑い方で店主を「なあ、山下」と見上げた。

「帰ってくれませんか。店には来ないで欲しいって、頼んだじゃないですか」

「そんなこと言って、いいのか？　俺に、指図するのかよ、ええ？　俺はな、てめえの行きたいところに、行くんだよ。やっと自由になれたんだ、誰の指図も、受けやしねえ」

店主の押し殺した声が「長田《おさだ》さん」と呟《つぶや》く。男の名は長田。店主は山下。この二人は、長田の女房という女性でつながっているということだろうか。

「ほら、ビール持ってこいって、言ってんだろうがよ。早くしろよ、クソ野郎」

多少は慣れているとはいえ、男同士の喧嘩というものを、やはり貴子は恐れている。

暴力的な破壊衝動、そのエネルギーの激しさは、やはり女の貴子にはかなわないものだと、十分すぎるくらいに知っていた。これは、自分も早々に退散した方が良さそうだと考えて、ようやく皿を空にした時、奥に引っ込んでいた店主が、いつものようにヨーグルトドリンクを運んできた。男が「ビールはどうしたんだ！」と大声を張り上げる。今度は、店主はかなりはっきりした声で「長田さん」と男を呼んだ。

「用があるんなら、家の方に来てもらえれば、いいですから」

「どうして俺が、お前に会う用なんか、あるんだよ。そんなもん、あるわけねえだろうがよ」

「だけど、現に長田さんは――」

店主の言葉を遮るように、男は急に姿勢を変え、ストローに口をつけていた貴子を、再び「お姉ちゃん」と呼んだ。ちらりと目を上げると、男はテーブルに身を乗り出して、残忍に見える笑みを浮かべながら、こちらを見ている。

「いいこと、教えてやろうか。この男は、俺の女房をな――」

「長田さんっ」

「殺したんだ。こいつはなあ、人殺しなんだよ」

思わず眉根が寄りそうになった。貴子は、どういう反応を示すことも出来ないまま、黙ってヨーグルトを飲んでいた。

4

あの男の言っていたことが本当だとすると、『紫陽花亭』の山下という店主は、どういう人生を歩んできたのだろうか。まだ痺《しび》れている舌のまま、貴子はマンションへ戻る道を歩きながら考えた。

男と山下と、男の妻との関係は、どういうものだったのか。山下は、長田という男の妻を殺した後で、その女性から教えられたというカレーを、今も作り続けているということなのだろうか。いずれにせよ、そんな話を聞いてしまっては、これからも今までのようにあの店に通うことは、少しばかり躊躇《ためら》われる。前科があろうと、過去に何をしていようと、すべてを償っているのなら関係ないとも言えるのだが、自分の過去を知ってしまった客が、相変わらず姿を現すことを、山下自身が窮屈に感じるのではないかと、そんな気がした。

――せっかく見つけた店だったのに。

食事中に不快な思いをしたことよりも、それが腹立たしかった。吉祥寺に越して以来、一度としてカレーを作っていないのは、他ならぬ『紫陽花亭』のお陰だった。貴子が作るカレーだって、そう捨てたものではないと思っているが、それでもカレーといえばあの店を思い浮かべるようになっていた貴子にとっては、その損失は計り知れないもののように思われた。

マンションにたどり着いて三階まで上がると、幾分心地良い風が吹き抜けていた。まだ辛さの余韻を引きずっていた貴子は、額を撫《な》でる風を心地良く感じながら、片手でバッグの中の鍵《かぎ》を探り、マンションの通路を進んだ。分駐所のロッカーやデスク、さらに一度も使ったことはないが、実家の鍵まで留められている革製のキーホルダーをバッグから取り出し、ちょうど自分の部屋の二つ手前のドアを通過しかかったときに、貴子の目に異様な光景が飛び込んできた。

日頃は整然と、無機的に並んでいるだけの鉄製のドアに、何枚もの貼り紙がされていた。辺り構わず乱暴に貼りつけられている、それらの紙には大きな文字で「人殺し」「悪人」「恥知らず」などという不格好な文字が躍っていた。乱暴で、それだけで猛々《たけだけ》しい印象を与える文字だった。貴子は思わず足を止めて、見知らぬ隣人の暮らす部屋のドアを見つめた。いずれの紙も、手で切ったらしいガムテープで一カ所だけが留められ、それぞれが風に吹かれてなびいている。さらによく見ると、ドアノブの鍵穴まで、何かが詰め込まれてつぶされていた。粘土か、またはチューインガムか何かだろうか。

——ひどい。

一見すると、サラ金の取り立てのようにも見える。だが、それにしては、書かれている文句が違いすぎた。これは、明らかな中傷、嫌がらせだ。そういえば数日前の夜中に、激しく怒鳴ったりドアを叩《たた》いたりする音が聞こえたが、被害に遭っていたのはこの部屋だったのだろうかと思いながら、貴子は少しの間、そのドアを眺めていた。

貴子は隣近所とのつきあいをまったくしていないし、この部屋に住んでいる人間のことも、まるで知らなかった。見回しても、表札も出ていない。試しに、ドアのチャイムを押してみる。だが、思った通り反応はなかった。

練「隣の隣っていうと——三〇三号室っていうことですか？」

着替えた後では、もう面倒になってしまうかも知れないと考えて、靴を脱ぐなりさっそく不動産屋に電話を入れると、応対に出た声は、「ああ」と言った。

未「山下さんですね」

貴子は思わず身を乗り出すように「山下さん？」と聞き直した。

「あの、『紫陽花亭』の山下さんですか？」

「そうそう。あのカレー屋さんね」

なるほど、そういうことだったのか。と、なると、犯人も察しがつくというものだ。貴子の脳裏には、さっき『紫陽花亭』で見た男が浮かんでいた。昼間から酒に酔い、客の前で店主を人殺し呼ばわりしたあの男なら、これくらいのことはするだろう。

電話口では不動産屋が、すぐに山下に連絡を入れるからと言っている。貴子は、思い切って「あの」と口を開いた。

「あのお店は、もう随分、長くやっていらっしゃるんですか？」

「そうねえ、あそこもうちが仲介して借りてもらってる店ですけど、かれこれ十四、五年にはなりますかね」

「ずっと、お一人でやっていらっしゃるんでしょうか」

「いやいや、昔は洋食屋だったんですけどね、もう七、八年くらい前かなあ、奥さんが亡《な》くなって。もともと、奥さんが料理を受け持ってたもんだから、ダンナ一人じゃあ、あれこれとは出来ないっていうんで、カレーだけにしたんですよね」

「奥さん、亡くなられたんですか――」

それが、本当に山下の妻だったのか、または長田という男の妻だったのか、そのあたりが問題なのだろうか。思わずあれこれと考えを巡らしているときに、受話器を通して「まあねえ」という声が聞こえた。

「山下さんもね、まさか、自分がカレー屋の親父《おやじ》になるとは、思ってなかったんだろうけどねえ」

思いの外、話好きな不動産屋らしい。一年前に、契約の段階で会ったかも知れないが、どんな顔だったかも覚えていない相手に向かって、貴子は、とにかく曖昧に相づちを打った。こういう相手は、勤務中に出会うと便利だが、自分の私生活の一端を握られているのかと思うと、あまり安心できない。以前にも、貴子は口の軽い不動産屋のせいで、近所の米屋の女房からうるさく話しかけられることになって、日々の生活が煩《わずら》わしくなった経験がある。

「昔はね、私なんかも結構、応援してたんだけど。まあ、人の運命なんて分からないもんです」

「応援、なさってたんですか」

「してましたよ。甲子園の頃から、結構、評判になってた選手だからね」

「——もう、随分前のことですよね」

「まあ、そうですね。引退したのが、それこそ、もう二十年、いや、三十年近くも前になるんじゃないですか」

「そんなに前ですか。私は、あの――あまりよく知らないんですが。あの方、ご自分の話はほとんどされないから」

「そうでしょう。だけど、あれですよ。『紫陽花亭』には、今でも昔のファンが、結構行ったりしてるんじゃないかな」

甲子園。昔のファン。すると、『紫陽花亭』の店主は、プロ野球選手だったということか。貴子は、店主の大きな体つきと、厳《いか》つい顔を思い出し、なるほど、そう言われてみればスポーツ選手らしい雰囲気の男だと思った。

「まあ、有名人だったんだし、あの頃は結構話題にもなったから、嫌がらせみたいなものには、ある程度慣れっこにはなってるんでしょうけど。分かりました、とにかく、ご本人さんに連絡してみますわ」

もう少し、突っ込んだ話を聞いてみたいと思った、何故《なぜ》、野球をやめたのかも知りたかったが、結局、貴子は「お願いします」とだけ言って、電話を切った。それから、少しの間ぼんやりしていた。

町の片隅で、カレーしか出さない店を営む男の背負っている過去が、様々な形で思い浮かんだ。貴子自身はプロ野球にはさほどの興味もないし、セ・パ両リーグの球団名さえ、全部は言えないくらいだから、当然のことながら、三十年近くも前の選手のことなど、知りようもない。だが、甲子園から、さらにプロに進んだような男が、野球一筋に生きることを望んでいたに違いないことくらいは容易に察しがついた。はっと我に返り、もしかすると、そろそろ警察の人間でも駆けつけてくるかも知れないと思いながら、貴子は風呂《ふろ》の支度を始めた。仕事ではないのだ、これ以上、他人の問題に立ち入るべきではない。

——色々、ある。

ぬるめの風呂に浸《つ》かり、浴槽の縁に首をもたせて、貴子はぼんやりと天井を眺めていた。睡魔が徐々に押し寄せてくる。満腹にもなっていたし、この分なら、ビールも飲まずに眠れそうだ。

風呂から上がると、例によってバスタオル一枚のまま、貴子は室内をうろうろと歩き回り、時折、外の様子をうかがった。だが、すぐ隣というわけでもないから、何の音も聞こえてはこない。わざわざ様子を探るために服を着込むのも馬鹿《ばか》げた話だ。汗が退《ひ》き、髪が乾くまでの間だけ、相も変わらず他人のトラブルばかりを報じるワイドショーを観《み》て、それからベッドに潜り込むことにしようと思ったとき、また携帯電話が鳴った。何となく嫌な予感がすると思いつつ、放っておくことも出来なくて、貴子は警戒心を丸出しにした声で電話を取った。

「もしもし、もしもし――音道さん？　貴子さん？」

こういうときの勘だけは当たるのだ。貴子は舌打ちしたい気持ちで、奇妙に甲高い高木の声を聞いた。

「僕、何度もメッセージ残しておいたんだけど。聞いてくれてないんですか」

「今、仕事中なんですが」

「あ、あ、じゃあ、すぐ済みますから。今夜あたり、安雲ちゃんの店で、どうです。仕切り直しっていうことで」

「何を仕切り直すんです」

「あ――いや、だから、この前は何か、気まずいことになったもんで」

「なったんじゃ、ないでしょう。高木さんが、気まずくさせたんじゃないですか」

少しの沈黙が流れた。一体、どういうつもりなのだと、貴子の中にはせっかくなりをひそめた怒りの芽がむくむくと頭をもたげてきた。

「だけど、そっちだって、そういうつもりがあるから、出てきたんでしょう」

「そういうつもりって？　ホテルに行くつもりですか？　冗談じゃないわ、安雲が素敵な方だって言うから、お友達になれたらと思ったくらいです。高木さんが、どういうおつもりだったかは知りませんけど、遊びたいんなら、相手を間違えてるわ」

「遊び相手とは――」

「じゃあ、本気でつき合いたいっていうんなら、順番を間違えてる。それくらいのことに、気がつかないんですか。高木さん、普段から、そういう感覚でお仕事なさってるんじゃないでしょうね」

一見してプライドが高いと分かる高木が、電話口で苦虫を嚙《か》みつぶしたような顔をしている様子が目に浮かんだ。そのまま「失礼します」と電話を切りかけたとき、貴子の耳に「諦《あきら》めないからな」という言葉が届いた。

「人を馬鹿にしやがって。何だったら、君の勤め先に行って、あること、ないこと言ってやる。都内の全部の区役所を虱潰《しらみつぶ》しにしてでも、探してやるからな」

今度こそ、貴子の中で何かが弾《はじ》けた。この男も、『紫陽花亭』で見かけた男と同種なのだ。まったく。意地だかプライドだか知らないが、そんなものだけをぶら下げて生きているような男に邪魔をされてたまるものか。

「何をしようとご自由ですが、よくお考えになった方がいいわ。それから私、地方公務員とは言いましたけど、別に区役所の人間じゃないですから。探す手間が省けるでしょうから、お教えしますけど、私の勤め先は警視庁です」

「警視庁？」

「私は刑事です。安雲に確かめれば分かりますから、どうぞ、ご自由に」

相手の返事を待たずに、貴子はそのまま電話を切った。

——こんな物。便利などころか、煩わしいばっかりじゃないの。

安雲からの貰《もら》い物でなかったら、壁に向かって叩きつけたいくらいだ。かろうじてベッドの上に放り投げるのに止《とど》めて、貴子は大股《おおまた》で冷蔵庫にビールを取りにいった。

5

目が覚めたときには、あたりはもう闇《やみ》に包まれていた。寝る前に無理矢理飲んだビールのせいで、何となく胃が重い。このまま、朝まで眠ってしまおうか、それとも今から気合いを入れて、バイクでどこかに行こうか——ベッドの中で、貴子はしばらく考えた。

いずれにせよ、中途半端《はんぱ》な時間に寝過ぎると、明後日《あさって》の勤務に影響する。一度は起きてしまった方が良いと考えて、ベッドから抜け出し、貴子は素肌の上からTシャツだけを着込んだ。他には下着も何も身につけず、取りあえずテレビのスイッチを入れる。もうナイターが始まっていた。

——元プロ野球選手。

いつもなら、簡単にチャンネルを変えてしまうところだが、貴子はしばらくの間、ぼんやりとナイター中継を眺めていた。山下の、いかにも気骨のありそうな、厳つい顔を思い出す。そういえば、玄関のドアはどうなったろう。貼《は》り紙くらいは剝《は》がせば済むことだが、あの鍵《かぎ》は、業者を呼ばなければならなかったのではないだろうか。そこまで考えて、貴子はちょっと見てこようかという気になった。

確か『紫陽花亭』はかなり夜ふけまで営業しているはずだった。一度、ツーリングから戻って何も食べるものがなかったとき、意外な程遅い時刻に、店の明かりが灯《とも》っていたことがある。あの時、貴子は心の底から救われた気持ちになったものだ。店主は相変わらず素っ気なかったが、それさえも、いつも以上に嬉《うれ》しかった。

もしも、今夜も深夜になって帰宅して、ドアが開けられないと分かったら、山下はさぞかし困ることだろう。とにかく確かめてみようと思い立って、貴子はTシャツの下にジーパンだけ穿《は》いて、部屋の外に出てみた。

相変わらず湿気が強いが、それでも室内よりは幾分涼しく感じられる風が吹き抜ける。何となく足音を忍ばせながら、山下の住まいの方を見てみると、貼り紙も綺麗《きれい》になくなり、鍵も交換されているようだった。貴子は、小さく安堵《あんど》のため息を洩《も》らし、またそろそろと部屋に戻った。人の私生活に立ち入るのは、仕事の時だけで十分だ。長田のことや、亡くなったという山下の妻のことなど、知ってみたいことはあったけれど、詮索《せんさく》はしない方が良いと自分に言い聞かせて、貴子はドアの鍵をかけるなり、またジーパンを脱ぎ捨てた。とにかく、今夜はゆっくり過ごして、明日は夜明け前には家を出よう。そして、夏を迎える前の海を見たい。そんなことを考えながら、貴子はその夜、買ったままで読んでいなかった雑誌をぱらぱらとめくり、途中まで使ったものの、後は他に目移りがして、何カ月も放ってある化粧品の類《たぐい》を整理したり、洗ったままで山積みになっていたハンカチにアイロンをかけたり、久し振りに眉《まゆ》をカットしたりして過ごした。

途中で、珍しく三本の電話が入った。母と、高校時代の友人と、安雲だ。母は、梅酒を作ったから取りに来るようにという用事だった。高校時代の友人は、他の友人の連絡先を知りたいという用事で、三十分ほど世間話をした。最後にかかってきた安雲の声を聞いたとき、貴子は気安さと同時に、日中の怒りを思い出し、思わずぶっきらぼうな応対になった。

「何よ、不機嫌な声出しちゃって。あんたさ、高木ちゃんに仕事のこと、話したの？」

「連絡があった？」

「あったどころか、つい今し方までいたのよ。すっごい、荒れてたわよ」

貴子は思わずあぐらをかき、つけっぱなしにしてあったテレビの音だけを消して、受話器を握り直した。

「何なの、あの男。どうしてあんな奴《やつ》を紹介なんかしたのよ」

「あらまあ、高木ちゃんからも同じこと言われて、責め立てられたところよ。あんなに気の強い女を、どうして紹介したんだって、怒られちゃった」

「私の、どこが気が強いのよ。いい？　あいつは、この前のことを詫《わ》びもしなかったのよ。その上、私の仕事先まで来て、好き勝手なことを言いふらすとまで、言ったんだからねっ」

こちらが激しい口調になっても、安雲の落ち着き払ったハスキーな声は変わることがない。ああ、自分は彼に甘えている、ストレートな感情をぶつけているのだと、改めて感じながら、貴子は「馬鹿じゃないの」と続けていた。

「都内の区役所を虱潰しにするとか言うから、私は区役所の職員じゃなくて、デカだって、言ってやったのよ。嘘《うそ》だと思うなら、安雲に聞いてみろって」

受話器の向こうから、ピアノの旋律が聞こえてきた。誰か、歌いたい客がいるのだろう。その音色をバックに、安雲の「あらそう」という声が聞こえた。

「あれじゃあ、完璧《かんぺき》なストーカーじゃないの」

安雲は笑いをこらえているような声で、「それだけ好かれてるのよ」などと呑気《のんき》なことを言う。

「迷惑だわ」

「未練たっぷりだったわよ」

「冗談じゃないわよ」

どうせ紹介するのなら、もう少しまともな相手にしてくれと言うと、安雲は、それなら自分が先に試してみた相手でも良いかと切り返してきた。

「何てこと言うのよ。私は両刀は嫌なの」

「あら、私が身も心もさ、知り尽くした相手なら、安心でしょうが。ついでに癖とか、好きな体位とかも、教えてあげてもいいわよ」

「馬鹿じゃないの、もう。安雲は、自分の恋人が私に寝取られても、平気なわけ？」

「だから、お、ふ、る。用済みの相手しか紹介しないに決まってるじゃない」

呆《あき》れて、思わず笑ってしまった。自分の笑い声を聞きながら、そういえば、こうして声に出して笑うことも久しぶりだと気づいた。

「お客様がいらしたから切るわ。あんた、明日、休みでしょう？　寄りなさいよ」

「明日？」

「大丈夫よ。高木ちゃんは、絶対に二日続けては来ないから」

「来たって、構わないわよ」

いつの間にか気持ちが晴れやかになっている。電話を切った後、貴子は安雲の懐《ふところ》の深さと心遣いに、改めて感謝していた。本当に、おかまなどでなかったら、好きになれたと思うのに。

一日の、最後のニュースが始まっていた。妙な半日だったが、それでも綺麗にプレスされたハンカチが引き出し一杯になったし、読みかけだった雑誌も、来月からは買う必要はないと思えるくらいまではページをめくった。ドレッサーもすっきりして、新しい化粧品を収納するスペースが作れたし、眉もさっぱりした。我ながら、有効な時間の使い方をしたものだ。

さて、明日はどこまで走ろうか。湘南《しょうなん》も良いが、たまには千葉の海にでも行ってみようかなどと考えていた矢先に、獣の雄《お》叫《たけ》びのような声が聞こえてきた。

「馬鹿野郎っ、卑怯者《ひきょうもの》！」

数日前に聞いたのと同じ声のようだ。つまり、また山下の家へあの男が来ているのだろうか。貴子はとっさに身構える姿勢になり、一点を見つめて耳を澄ませた。

「この野郎、俺から逃げられるなんて、思うんじゃねえぞ！」

大分、酔っているようだ。貴子は目まぐるしく考えを巡らし、とにかく小走りでドレッサーの前まで行くと、洗いっぱなしで、しかも寝起き同然の髪にブラシをかけ、簡単にムースを使ってセットをした。着ていたTシャツを脱ぎ捨て、今度はきちんとブラジャーをつけて、白い綿のシャツを着込む。その間も、よく聞き取れない怒声が、深夜の町に響きわたっていた。近所の誰かが一一〇番に通報してくれれば良いのだがと考えながら、白いソックスを履き、再びジーパンに足を通す。それから、通勤用のバッグに入れてある警察手帳を、ジーパンの尻《しり》ポケットに差し入れ、手帳についているひもの先を、念のためにジーパンのベルト通しに引っかけた。

「おうい、出てこいっ、人殺し！」

少し考えて、財布とハンカチもジーパンのポケットに突っ込み、スニーカーを履く頃には、「うるさいぞっ」などという他の怒声がよそからも聞こえ始めていた。

玄関の外に出ると、手早くドアに鍵をかけ、貴子は、ゆっくりと通路を歩き始めた。思った通り、昼間『紫陽花亭』で見た男が、山下の家の前にどこから集めてきたのか、生ゴミをまき散らし、ドアを蹴《け》っている。そして、貴子が通り過ぎるだけだと思ったのか、長田と呼ばれていた男は、その時だけ知らん顔を決め込むように、煙草《たばこ》など取り出している。

「何、してるんですか」

貴子は、男との間合いをはかって、通路に立った。風を手で避《よ》けながらライターで火をつけていた長田が、大して驚いたような顔もせずにこちらを見た。

「何時だと思ってるんです」

「何時って？　そんなこと、関係ねえだろう」

貴子のことなど、覚えてもいないのだろう。煙草の煙を吐き出す男の顔は、頬がそげているだけに、通路の明かりを受けて陰影が深くなり、余計に貧相で残虐《ざんぎゃく》に見えた。

「迷惑だって言ってるんです。そこのお宅に用があるんなら、直接、話せばいいじゃないですか」

「てめえに、そんなこと言われる筋合いは、ねえんだよ。生意気な姉ちゃんだな、すっこんでろ！」

山下と貴子の部屋に挟まれている、三〇四号室のドアが細く開いた。貴子は素早く近づき、ドアの隙間《すきま》から出てきた若い男の顔に「一一〇番をして」と囁《ささや》いた。男は、一瞬「え」という顔になる。迷惑がっているのか、戸惑っているのか。男のくせに。

「警察を呼んだ方がいいでしょう。私、逃げないように見張ってますから、その間に、一一〇番してください」

それくらい出来るでしょうと言いたいのをこらえて、貴子は三〇四号室のドアから離れ、男に視線を戻した。かちゃり、と控えめにドアの閉まる音が聞こえた。お願いよ、そのまま知らん顔を決め込まないでちょうだいよ。初めて顔を見た隣人に心の中で語りかけながら、その一方では、一通り学んでいるはずの刑法を端から考える。家の前に生ゴミを捨てたくらいでは、せいぜい注意されて終わりというところだろう。だが、この男が鍵まで壊したと証明されれば、逮捕も可能に違いない。住居侵入？　器物損壊？　他に何かあるだろうか。今、男が貴子に襲いかかってきたとしたら、公務執行妨害に出来るものか。出来る。多分。きっと。

「あなた、昼間もここのお宅に嫌がらせしたんじゃないですか」

男は、肉のそげ落ちた頬をさらにすぼめるようにしながら、煙草を吸っている。そして、下卑た笑いを口の端に浮かべ、再び「関係ねえだろうがよ」と続けた。

「てめえ、どういうつもりなんだよ。ああ？　痛い目に遭いたくなかったら、すっこんでなって、言ってんだろうが。俺は一秒もあれば、あんたの顔を二目と見られないように出来るんだぜ」

ああ、今、無線機があったら。すぐに職務質問をかけて、身分を証明出来るものも提示させて、この男の前科前歴を洗えるのに。早く所轄《しょかつ》署の人間が来てくれないものだろうか。そうでなかったら、貴子が何とかしなければならなくなる。これでも一応の恐怖心はあるのだ。

「それとも、姉ちゃん、この家の野郎と知り合いなのか、ええ？　何だって口出しすんだよ」

長田は、自分がばらまいた生ゴミを蹴散らしながら、こちらに向かって一歩、足を踏み出してきた。しまった。傘か何か、武器になる物を持って来るんだった。貴子は、必要以上に相手との間合いを詰めないようにしながら、「当たり前じゃないですか」と答えた。

「迷惑だって、言ってるんです。こんなに夜遅くになって、大声を出したり暴れたりしないでくれって。第一、何なんですか、そのゴミ」

いかにも堅気には見えないような男が、いつの間にか、一見正反対の高木とだぶって見えていた。女々《めめ》しい。卑怯者。いいわよ、やってやろうじゃないの、と思いかけたとき、「長田さん」という新たな声が響いた。通路の端に、黒い人影が見えた。大《おお》股《また》で近付いてくる人影は、確かに『紫陽花亭』の店主だった。だが、店で見る白い上《うわ》衣《ぎ》姿と違っているせいか、雰囲気が随分変っている。よろめきながら振り返った男は、唸《うな》るような声で「おう」と言うと、吸いかけの煙草を手すりの外に放り出した。小さな赤い火種が、闇《やみ》の中に消えていく。

「また、こんなことしてるんですか」

固いコンクリートの建物の、しかも深夜の通路ということもあって、山下の声はいつになく響きが良く、深みがあるように聞こえた。

「またぁ？　何だよ、またってよ」

「もう少し、自分の人生、考えてくださいって、言ってるでしょう」

「俺の人生？　俺の人生だと？　それを台無しにしやがったのは、どこのどいつだってんだよ、ええっ」

「それは、長田さんが――」

「てめえが、台無しにしたんじゃねえか！」

通路の照明に浮かび上がる山下の顔に苦渋の色が浮かんだ。彼は、その表情のままで長田に歩み寄り、その背に手を回した。

「とにかく、近所迷惑ですから。話なら、入って聞きますから」

だが、長田は山下の手を振りほどき、代わりに自分よりもよほど厚い山下の胸を突き飛ばした。山下は、ほんの数歩後ずさっただけで、表情を変えなかった。

「焼香――してやってください」

その途端、それまで全身から力が抜けているようにさえ見えていた長田が、ばね仕掛けのように山下に向かって飛んで見えた。次の瞬間、大きな山下がよろめいて壁に倒れかかっていた。

――素早い。何なの、この男。

貴子は、息を呑《の》んで二人の男を見つめていた。これは、自分の手に負える相手ではなかったかも知れない。良かった、変に正義漢ぶって手出しをしていたら、冗談ではなく痛い目に遭っていたところだ。思わず冷や汗が出てくる。

「相変わらず、すごいパンチだな」

手の甲で口元を押さえながら、山下が言った。ようやく立ち直ろうとした山下に、長田は無言のまま、さらに何発かのパンチを食らわす。拳《こぶし》が見えないほどだ。その一発がみぞおちに入って、次の瞬間、山下の大きな身体《からだ》が二つに折れた。生ゴミの散らばる通路に、山下が膝《ひざ》をつく。それでもなお、長田は無言のままで殴り続けている。

「ちょっと、やめて！」

悔しいが、貴子に出来るのは、声を上げることとだけだった。だが、そんなものが何の役にも立たないことは分かっている。せいぜい、隣室の男が一一〇番してくれていない場合を考えて、この声を聞きつけた誰かが警察を呼んでくれるのを祈るばかりだ。

いつもより、さらに静まり返って感じられる辺りには、山下の肉体に長田の拳がめり込む音ばかりが聞こえていた。

階下から、自転車のブレーキの音が響いた。手すりから顔を出すと、制服の警察官が、こちらを見上げている。貴子は「こっち！」と手を振って合図を送った。

「何、やってんの、ちょっと、あんた！」

ようやく三階まで駆け上がってきた巡査の声が響く頃には、山下は身体を丸めて、完全に通路に倒れていた。肩で息をしながら、長田は、今度は警察官の方を向く。完全にボクサーの姿勢だ。

「ボクシング、やってるわっ。警棒！」

思わず声をかけると、若い巡査は初めて思い出したように、帯革から特殊警棒を取り出す。その間に、貴子は小走りで自分の部屋に戻り、安物のビニール傘を傘立てから抜いた。いくら武道の心得があっても、ボクサーが相手では、警察官一人では太刀打ちできないかも知れないと思ったからだ。再び表に出た時、パトカーのサイレンの音が聞こえてきた。長田が一瞬、耳を澄ますように姿勢を動かす。その隙を狙《ねら》って、若い制服の警察官が男にタックルしようとした。だが、長田の方が先に気配に気づいたらしい、素早く一歩後ずさると、警察官の顔をめがけて、すっと腕を伸ばした。次の瞬間には、制帽が飛び、警察官は尻餅《しりもち》をついていた。

「な——何をするんだ！　こ、公務執行妨害だぞ！」

顔を押さえながら、警察官が悲鳴のような声を上げる。その時、ようやくマンションの下にパトカーが到着した。貴子は、両手で傘を構えたまま、早く、早く来てと祈っていた。長田は、急に慌《あわ》てた様子で、きょろきょろと逃げ場を探し出し、自分の背後にいた貴子に改めて気づいた様子だった。

「てめえが呼んだのかっ！」

薄い闇の中でも、はっきりと青ざめていると分かる顔で、長田は貴子を睨《にら》みつけてきた。貴子は、傘を握る手に力を込めながら、黙って男を見つめ返した。

長田が、今度は貴子に向かって歩み出し、「余計なこと、しやがって」と言いかけたときに、それまでうずくまっていた山下が、「やめろっ」と怒鳴りながら、長田の足にしがみついた。バランスを失って長田が倒れ込んだ瞬間に、貴子はその背中に膝をついて、腕を捻《ねじ》り上げた。今度は夜の町に「痛《い》てててて！」という声が響いた。

6

貴子は、二人の男を交互に見比べていた。顔を腫《は》らし、口の端から血を流しながら、山下は数人の警察官に囲まれ、手錠をかけられた長田を、じっと見つめている。

「あんた――馬鹿《ばか》ですよ」

やがて、山下の口から、かすれた声が洩《も》れた。だが、倒れ込んだ際に自分も顎《あご》を打ったらしい長田は、山下の方を見ようともしない。

「こんなことしたって、何にもならないって、まだ分からないんですか。何でもかんでも、俺と直子のせいにして、あんたが直子を幸せにしなかったんだ。そんなに未練があるんなら、どうしてあいつを幸せにしてやらなかったんだ！　どうして、直子が俺と逃げたと思ってるんだ！　俺たちが、どんな思いでいたと思ってるんだ！　俺は、あんたさえまともになってくれたら、心を入れ替えてくれたら、いつでも――」

だが、山下の言葉を遮って、警察官たちは公務執行妨害および暴行傷害の現行犯として、彼を引っ立てていってしまった。最初に駆けつけて、顔を殴られた警察官も、鼻から血を流し、よろめきながら去っていく。

「救急車、呼びますか」

最後に残った三十前後の警察官が、同情に満ちた顔で山下に話しかけ、彼が首を横に振ると、少し事情を聞きたいから同行して欲しいと続けた。山下は、ゆっくりと頷《うなず》き、重い足取りで歩きかけて、それからふいに振り返った。そして、まだ片手に傘を持ったままの貴子に深々と頭を下げる。

「昼間も、連絡してもらったそうで」

ゆっくりと顔を上げた時に初めて、山下の表情が動いた。ようやく、貴子が『紫陽花亭』の常連だと気づいたらしい。貴子は、愛想笑いを浮かべるのも変なものだと思いながら、曖昧《あいまい》に首を傾《かし》げて見せただけだった。サイレンの音が遠ざかるまで、貴子は通路に残っていた。そして、辺りに静寂が戻った頃、出過ぎた真似《まね》だろうかと思いながら、山下の部屋の前にまき散らされ、踏みにじられた生ゴミを箒《ほうき》で掃いた。

――これくらいしか、出来ないなんて。

何とも情けない話だという気もする。髪までとかし、警察手帳まで身につけて、ゴミを片付けるだけなんて。だが、下手に身元が分かるよりは、その方が良かったのだ。取りあえず、はからずも暴れてくれたお陰で、あの男は、当分は刑務所行きだろう。

「死んだ女房は、確かに、あの人と結婚してたんです」

山下が、冷凍保存も出来るビニールの袋に店のカレーを入れて挨拶《あいさつ》に来たのは、翌日の朝だった。夜明け前には出かけるつもりだったのに、興奮がおさまらないまま、つい寝つかれず、すっかり寝坊してしまった貴子は、「気に入ってもらってるみたいだから」という言葉と共に、照れ臭い気分でカレーを受け取った。

「本当は、こんな話は聞きたくもないかも知れないんですが、ご迷惑もかけたし、あれこれと耳にして、変に思われてるかも知れないんで。まあ、どう思われても、別にいいんですが」

今日の山下は、紫色のポロシャツに生成《きなり》のコットンパンツという、若々しい出《い》で立《た》ちだった。だが、顔は見事に腫れて、痣《あざ》も出来ている。いかにもスポーツマンらしいとは思ったが、その顔では、今日は店を開くのは難しいかも知れないと、貴子は気の毒になりながら、カレー店の店主を見上げていた。

「まあ、よくある話なんですが、女房だった女は、俺が知り合った頃は、もう、あの人に色々と苦労させられてるときだったんです。何かと相談に乗ったりしてるうちに、だんだん、まあ、同情だけでもなくなって、そのうち、じゃあ一緒に逃げるか、なんていうことになって」

「それで、野球もやめられたんですか？」

つい、聞いていた。山下はまた意外そうな表情になり、それから諦《あきら》めたようにため息をついた。

「そうじゃないんです。ちょうど、肩を壊して、俺もあれこれ迷ってる最中だったんですよ。だから、直子と——直子っていったんですが——二人なら、やり直せるかも知れないっていうんでね」

山下は自嘲《じちよう》的な笑みを浮かべようとしたが、傷が痛むらしく、かえって顔を歪《ゆが》めただけになった。

「長田さんは、当時から喧嘩《けんか》っ早くて、女房にでも誰にでも暴力ふるうしね。ボクサーとして、いいところまでいきそうな気がしてたんだけど。俺なんかも、必死で応援してたんですけどね」

「と、いうことは、前から、お知り合いだったんですか」

山下は少し間を置いてから、自分と長田とは、高校の先輩後輩なのだと言った。そして、長田も当時は同じ野球部にいたのだと。だが、中学までは、それなりに有望視されていたものの、長田は結局、高校の野球部では補欠ばかりで、高校卒業と同時に上京すると、野球を諦めてボクシングを始めたという。

「だけど、すぐに酒を覚えて。酒が入るとね、もう駄目なんですよ。結局それでボクシングも駄目になったし、家庭も壊したし。面白くないことがある度に事件起こして、刑務所を出たり入ったりでね」

やはり、そういう男だったのか。貴子は思わずため息を洩らしながら、この男と、長田と、そして直子という人の人生を思った。

「女房は、癌《がん》だったんです。分かったときには、もう手遅れで。長田さんに知らせようと思ったときには、あの人はまた刑務所で、出所したのは、葬式を出したずっと後でした」

「それで、あんなことを」

山下は、諦めたような表情でゆっくりと頷いた。そして、最後まで籍は抜けないままだったから、長田の言うこともあながち嘘《うそ》ではないのだと続けた。

「俺は、根っから不器用で、でも、直子からカレーだけは教わってね、それで、今もカレーだけで商売をやらしてもらってるような状態です」

「――美味《おい》しい、ですものね」

腫れ上がった瞼《まぶた》の下の山下の目が、わずかに柔らかくなったように見えた。

「うちのはね、水を使ってないから。女房から教わった通りに、根気強く野菜だけを煮て、そのエキスだけで作ってるんでね」

なるほど、そういうことだったのか。貴子は感心して頷き、手にしたカレーを改めて見つめた。

「まあ、これに懲《こ》りずに、また食べに来てください。もう、つまらない話は聞かせませんから」

最後に、山下はそう言って軽く頭を下げた。貴子が「つまらないなんて」と答えると、彼は大きく息を吸い込んだ。

「仕事以外で、他人の面倒なんか聞きたくないでしょう」

「——ご存じだったんですか」

山下は、痛そうな顔を歪めながら、昨日、不動産屋から聞いたと答えた。最初は意外に思ったが、昨晩の貴子を見ていて、なるほどと思ったという。

「おしゃべりな不動産屋さんですね」

「仕方、ないです。人の口に戸は立てられないから」

それだけ言うと、山下は「じゃあ」と帰っていった。大きな、ゆったりとした後ろ姿が、いつになく淋《さび》しげに見えた。

「あんた、惚《ほ》れるんじゃないでしょうね」

その夜、約束通り安雲の店に行き、昨夜の顚末《てんまつ》を話して聞かせた貴子に、安雲は小意地の悪い目つきになって言った。貴子は思わず吹き出しそうになった。

「馬鹿なこと、言わないでよ」

「あら、馬鹿なことじゃないわよ。分からないわよ。だって、話を聞いてる限りじゃあ、音《おと》の好みって感じじゃない？　男っぽくてさ、たくましくて」

「そんな、過去のある男なんて、まっぴら」

「何、言ってんのよ。あんただって、過去のある女でしょうが」

小憎らしいことを言う。貴子は思わず安雲を睨みつけ、だが、心の片隅では、ああいう男とつき合うと、どういうことになるだろうかと思いを馳《は》せた。少なくとも、好きなときに好きなだけ、カレーを食べられる。だが、その度に、死んだ前妻のことを思うだろう。そこまで考えて、貴子は「ない、ない」と首を振った。

「私、カレーが好きだから。嫌いになりたくないからね」

綺麗《きれい》なマニキュアで彩《いろど》った指先で、いかにも優雅に煙草《たばこ》を弄《もてあそ》んでいた安雲は、こちらの心を見透かしたような表情で、ゆっくりと眉《まゆ》を動かす。

「そうよね。あんたって案外、嫉妬《しっと》深いもんね」

「どうして、いちいちそう憎らしいこと、言うわけ？　わざわざ来てやったっていうのに」

貴子は、今度は本気で不快になりながら、安雲をぎゅっと睨みつけた。安雲は、すぼめた唇の間から、煙草の煙を細く吐き出している。その横顔をしばらく眺めて、それから貴子は、急に背中から力を抜き、座り心地の良いソファーに身を沈めた。安雲が「なあに」と言う。

「別に。ただ、何も起きないのも幸せだなと思って」

「あら、開き直るわねえ。人生はドラマなのよ。大波小波が一杯あったほうが、いいのに」

「そんなのばっかり続いたら、疲れるじゃないの」

思わずため息混じりに呟《つぶや》くと、老《ふ》けたとかババアとか、また憎らしい答えが返ってくるとばかり思っていたのに、意外なことに、安雲は「そうよねえ」と頷いた。

「あんた、私だって時々、男に戻った方が楽かなあなんて思うもの」

「男に戻って、どうするのよ」

「若くてピチピチの女の子をつかまえてさ、結婚して、子ども産ませる」

「それ、邪道じゃないの？」

「あら、そんなおかまだって、珍しくないんだからね」

そして、貴子と安雲は、互いに申し合わせたように、同じタイミングでため息をついた。

「おかまも、疲れるでしょうね」

「女刑事もね」

それから、二人はどちらからともなくグラスを差し出して、乾杯をした。これからだんだん、こんなため息をつくことが増えるのかと思うと、少しばかり憂鬱《ゆううつ》になる。それでも、自分とは違う形で、やはり疲れを溜《た》めていく友人が傍《そば》にいると思えば、少しは慰めにもなろうというものだった。

新しい煙草に手を伸ばしながら、安雲が「あのさ」と口を開いた。

「いつかさ、二人とも歳《とし》とって、お互い一人のままだったら、一緒に暮らそうか」

「同棲《どうせい》するの？」

「同居って言ってよ。それでさ、商売でもやって」

「何の商売」

「カレー屋なんて、どう」

まさか、自分にそんな将来が待ち受けているとは考えられない。だが、山下の人生を思えば、この先何が起きても、不思議ではないのだという気もした。

「カレー、ねえ」

「あんた、今のうちに、その男から教わっといたら？」

貴子は、キッチンと書かれたままの『紫陽花亭』の日除《ひよ》けを思い浮かべていた。あれが、山下の未練なのだろうか。あの唯一《ゆいいつ》残されたメニューを守り続けることが、そのまま山下の、決して幸福だったとは言い切れない直子という女への、未練なのだろうかと思った。いや、逝《い》ってからもなお、そこまで思われれば、女は決して不幸ではなかったかも知れない。

「今度、連れてってあげるわよ」

貴子が言うと、安雲は嬉《うれ》しそうな、悪戯《いたずら》っぽい表情で、「本当に、いい男の店ならね」と答えた。ああ、やはり安雲といると気が楽だ。本当に、おかまなどでなかったらと、またもや考えてしまうのも、貴子の未練に違いなかった。

立川古物商殺人事件

7

【古物店から三遺体】

～立川・売り物のタンスから～

二十六日午前十一時ごろ、東京都立川市栄町六丁目のクリーニング店から、「隣の古物店から悪臭がする。店の経営者は十日ほど前から姿が見えない」などと一一〇番通報があった。警視庁立川中央警察署の警察官が通報のあった古物店『候屋（そろうや）』の店内を調べたところ、売り物のタンスから腐乱した成人男性と思われる遺体が発見され、ついで、あと二人の遺体が発見された。いずれも腐敗が進んでおり、警視庁捜査一課では死体遺棄事件とみて遺体の身元の確定を急ぐと共に、現在行方の分からなくなっている古物店店主を捜している。

警視庁立川中央署に特別捜査本部が設置されたのは、梅雨が明けて間もなくの、遺体発見の翌日だった。ようやく蟬《せみ》の声が聞こえ始め、木々は濃い緑の葉を茂らせて、まとわりつくような湿気が呼吸さえ苦しくさせる日が続き始めていた。立川中央署から警視庁全域に発信された電報に従って、警視庁捜査一課員や隣接署の捜査員などと共に、音道貴子は相棒の八十田と二人で本部捜査に加わることになった。

午前九時、一回目の捜査会議に、立川中央署の講堂に招集された捜査員たちは、およそ百人に近かった。誰もが首筋の汗を拭《ぬぐ》い、扇子をはためかせながら、時折、恨めしげに窓の外を見ている。この炎天下を歩き回る作業を喜んで受け容《い》れる者など、いるはずもない。ただでさえ日に焼けた捜査員たちは、この夏で、さらに肌を焼くことだろう。

「早いとこ、片をつけたいよ。今年、女房のお袋の新盆《にいぼん》なんだ。何とか、それまでにはさ」

「この暑さだしなあ、長引いたらバテるねえ、こりゃあ」

そこここから声をひそめた会話が聞こえてくる。その思いは、貴子も同様だった。ことに、日頃は機動捜査隊員として、主に夜の町ばかりを、しかも車を利用して動き回っている身にしてみれば、自らの足を使って昼の日中に歩き回ること自体が久しぶりだ。

——まさか、日傘を差して歩き回るわけにもいかないし。

せめてシミが出来ないように、いつもより多少の心配りをする必要がありそうだ。

それから、少しでも楽な靴を履いて、多少の着替えも用意して——。

寝不足の頭で、ぼんやりと考えている時、講堂正面の雛壇《ひなだん》に、刑事部長や立川中央署長を始めとする、管理職のお偉方が並んだ。雑音が消え、広い室内は水を打ったように静まり返る。それでも、久しぶりの本部捜査に加わるというのに、貴子はいつになく緊張感を伴わないままで、お偉方を眺めていた。

勿論《もちろん》、寝ていないせいもある。だが、かなり意識的に、事件とは無関係の他愛《たわい》ないことを考えていたいという気持ちも働いていた。そうでもしなければ、つい昨日目《ま》の当たりにした光景が、否応《いやおう》なしに蘇《よみがえ》ってくるからだ。機動捜査隊員として、事件の初動捜査にあたる貴子たちは、昨日、地域課の警察官に次いで、現場に急行した。あの光景を見た人間は、今ここに集まっている刑事の中でも、一割か、せいぜい二割という程度だろう。

刑事部長の挨拶《あいさつ》、署長の挨拶に次いで、捜査一課長が事件の概要を説明し始める。貴子や、隣席の八十田は既に十分承知している状況が、写真や図によって再現され始めた。

「――ええ、ホトケは三体。店内に陳列されていた洋服ダンスの中から見つかった」

鑑識の撮った写真が、講堂前のスクリーンに大写しになる。両開きの扉を閉じた状態の洋服ダンスは、嫁入り道具の一つにでも数えられそうな、縁の部分に装飾を施した、白いタンスだった。とはいうものの、幅は一メートル五十センチはあったし、高さも二メートル近くで、それを持って嫁入りするとしたら、現代の日本、それも東京などでは、かなり恵まれた住宅事情でなければならないだろう。結局、こうして古道具屋に流れ着いたことを考えても、それほど幸福な経歴を背負っていると思えないタンスの写真を見ただけで、貴子は胃が突き上げてくるのを感じた。写真では絶対に分からない、あのタンスから放たれていた臭《にお》いが、生々しく蘇る。

次の写真では、タンスの扉が開かれていた。本来ならば、色とりどりの洋服が掛けられるはずのスペースには、隠れん坊をしたまま、鬼に忘れられたような格好で、第一のホトケがうずくまっている。一見して成人男性だったが、彼は既に、あまりに長く、そこにうずくまり過ぎていた。

さらに、洋服掛けの下部についている引き出し部分が写される。二段ある引き出しの、上の部分には小さな子どもの死体が悠々と横たわり、さらに下の引き出しには今度は成人女性の死体が、少し窮屈そうに収まっていた。元来は白木のはずの引き出し内部は、多量の血液、体液などですっかり変色している。

「——いずれも腐敗が進んでおり、蛆《うじ》の蚕食《さんしょく》のためもあって、ところどころ表皮が破れ落ちている状況だった。全身は膨張、変色しており、顔面も血管に沿って腐敗菌が進んでいたため、緑色になっている」

思わずハンカチを取り出して口元を押さえる。それは隣の八十田も同様だった。ただでさえ血に弱い八十田が、こういう状態をもっとも不得意としていることを、貴子は良く知っている。だが、今度ばかりは、貴子だってとても八十田を笑っている余裕など、ありはしなかった。昨日、現場から戻った直後に、着ていた服はすべてクリーニングに出したし、すぐに風呂《ふろ》にも入ったのに、まだ臭いがまとわりついている気がしてならない。

ことに女の死体などは、緑色に変色した顔の、片方の眼球が既に落ちて、ぽっかりと空いた穴や唇の間から、一センチ以上にも成長した蛆が出たり入ったりを繰り返していた。近づいただけで、何となくぴちゃぴちゃと濡《ぬ》れた音が聞こえたのは、体内を食い荒らし続けている蛆の音だと、いかにも慣れた様子の鑑識員に教わった。

「慣れない人もいるさ、何回見ても。この臭いだけで、つい上げちゃうっていう人ね。だけど、俺はもう平気になったな。ほら、あの人なんかも、そうだろう」

ベテランらしい鑑識員は、そう言って一人の所轄《しょかつ》署の刑事を指さした。四十前後に見える刑事だったが、その男など、マスクもせず、口元にハンカチを当てることもせずに、興味津々《しんしん》の表情で現場を観察していたものだ。どうしてこの臭いが平気なのか、一体どうしたら慣れるものなのか、脳貧血さえ起こしそうな気分で、貴子は内心で舌を巻いていた。

死体は腐敗が進行するにつれ、体内にたまったガスが全身を膨らませ、周囲に強烈な悪臭を振りまく。やがて、どこからともなく湧《わ》いてくる蛆の助けとの相乗効果で、弾力も透明感も失った表皮は破れ落ち、この世の中の「悪臭」と判断される臭いをすべて混ぜ合わせたような臭いは、体内からしみ出した水分と共に、辺りを濡らし、そして、広がっていく。

「一週間か、十日ってところかな」

その段階で、鑑識員は冷静な表情で判断を下していた。膨張も変色もしているが、それでも横顔などはある程度判別がついたし、人間としての体裁は、まだかなり整えている方だといって良かったのかも知れない。この程度なら、身元の割り出しは、そう困難ではないだろうということだった。

「――胃の内容物などからの判断は不可能だったが、他の所見、蛆の成長の度合い、さらに、今月の十七日の夕刊以降、新聞が回収されていないこと、また近所の聞き込みから、死亡推定日時は、今月十七日と考えられる」

今、捜査一課長は、鑑識員の言葉を裏づけるように、ホトケが死後、約十日たっていると言った。たった十日で、人間も生ゴミ同然になってしまうということだ。

——せめて、自分が死ぬときは、生ゴミになる前に発見されたい。

死んでしまえば本人には分からないのだから、どうということもないではないかと思っていたが、やはり、ここまで蛆に食い荒らされ、腐敗臭を振りまいているホトケを見てしまうと、ついそんな気になった。何しろ、扱う方に迷惑をかける。

すっかり緑色に変色した爪《つめ》の写真が大写しになる。男の手。女の手。子どもの手——。女の子らしい服装に身を包んだ小さなホトケは、中でももっとも腐敗が進んでいた。あどけない微笑《ほほえ》みを浮かべていたに違いない顔も哀れにむくみ、変色し、そして、蛆の餌食《えじき》になっていた。新生児を除けば、子どもは腐敗の進行が速いという。それを証明するような、小さく、哀れな姿だった。

「——幸い、指先の表皮は全部が失われているわけではなかったから、指紋から身元の割り出しが出来た。店内から採取した指紋との照合の結果、成人男性は、『候屋』の店主、真鍋《まなべ》実と判明した。四十九歳」

周囲から捜査員たちがメモを取る微《かす》かな音が上がった。貴子も、これでようやく写真から目を離せる気分で、やっと一人目のホトケの名前を書き込んだ。だが、残る二人は、まだ身元が判明していないという。昨日の初動捜査の段階で、『候屋』の店主が一人住まいであることは分かっていた。それでは、成人女性と幼い女の子は誰なのか、所轄署の刑事たちは、今日の本部設置までに寝ないで調べ回ったはずだ。

「真鍋実と女性のホトケは、後頭部の殴打《おうだ》による挫創《ざそう》および、全身十数ヵ所に刺創《しそう》が見られた。また、子どもについては、やはり背部に刺し傷が認められると共に、頸部《けいぶ》に扼痕《やくこん》が認められ、解剖の結果、甲状軟骨、輪状軟骨の骨折が見られた。それらの状況と凶器らしいものが発見出来なかったことから、今回の事件は無理心中などとも考えにくく、殺人及び死体遺棄事件と断定した」

子どもの細い首筋の部分を写した写真がスクリーンに浮かんだ。そこには、頸骨を中心として向かって右側に四つ、左側に一つの皮下出血の痕《あと》が見られた。つまり、犯人は前方から、右手で子どもの首を摑《つか》むように絞めたことが分かる。

——ホシは、右利《き》き。

あんな小さな子の首を、一捻《ひとひね》りで絞める犯人とは、果たしてどんな人物なのだろう。少しでも昨日の記憶から気持ちを切り離したくて、貴子は犯人像に思いを巡らした。

相手が子どもとはいえ、片手で扼殺するのだから、おそらくは男だろう。殴った上に滅多刺しにする手口から考えれば、かなり興奮していたに違いない。怨恨《えんこん》？　強盗目的？　被疑者を逮捕したら、真っ先にしてやりたいと思うことがあった。昨日のあの臭いを嗅《か》がせたい。ホトケの有り様を見せたい。不可能だとは分かっているが、自分の行為がどんな結果をもたらしたか、是非とも味わわせてやりたかった。単に殺人を犯したというだけでなく、被害者たちをあそこまで変貌《へんぼう》させ、まったく無関係の人間に、どれほど不快な思いをさせたかを、分からせたかった。その思いだけでも、捜査活動に力が入るというものだ。

「なあ」

ふいに、隣の八十田が囁《ささや》きかけてきた。振り返ると、彼は手にしていたボールペンの先で、斜め前の方を指している。そこには昨日の現場で、マスクもつけないまま動き回っていた刑事がいた。

「昨日、ズボンの折り返しに、蛆を入れたままでいたんだってさ。ホトケからこぼれ落ちた奴《やつ》をさ、そのまま持って帰っちゃったらしい」

その言葉に、貴子は思わず顔をしかめた。せっかく収まりつつある吐き気が、また蘇りそうだ。誰にも見られないように、机の下で八十田の足を思い切り踏みつけながら、貴子は、そんな刑事とだけは組みたくないと思っていた。

2

【二遺体は元妻と次女】

〜立川古物商殺人事件〜

二十六日、立川市栄町六丁目の古物店から三人の他殺体が発見された事件で、古物店『候屋（そろうや）』店主の真鍋実さん（四九）と共に殺害されたのは、真鍋さんの元妻・大笹《おおざさ》暁子《あきこ》さん（四五）と、大笹さんの次女あいのちゃん（四つ）であることが分かった。大笹さんは、十七日にあいのちゃんを連れて埼玉県所沢市の自宅から外出したまま帰宅しておらず、家族から届けが出されていた。警視庁立川中央署に設置された捜査本部では、死体発見当時、『候屋』が施錠《せじょう》されていたことなどから、顔見知りによる犯行の疑いが強く、たまたま真鍋さん方を訪ねた大笹さん親子が、何らかのトラブルに巻き込まれた可能性もあるとみて、真鍋さんの交友関係を中心に捜査を進めている。

いつの間にか、腕と足の数カ所を蚊に食われていた。ストッキングの上からでも刺すのだから、蚊の方も良い根性をしている。明日からは、キンカンでも持ちながら歩いた方が良いだろうと考えながら、貴子は今日一日、足を棒にして歩き回って得た情報を書き込んだメモを眺め、冷たい麦茶を飲んでいた。隣には島本という刑事が、やはり蚊に食われたらしく、首筋を掻《か》いている。悪い予感というのは当たるもので、この島本刑事こそ、事件の現場から、ズボンの折り返しに蛆を入れて帰ったという男だった。

「あれ、参ったな、掻いてたら、垢《あか》まで出てきやがった」

今年で四十三になるという刑事は、垢が詰まって黒ずんだ爪の先を貴子の方に差し出して、妙に嬉《うれ》しそうな顔で笑う。貴子は、思わず眉《まゆ》をひそめながら、口元で笑って見せるだけで精一杯だった。

デスク要員が組み合わせたのだから文句の言い様もなかったが、一センチ以上にも成長した、巨大な米粒のような蛆も気にしないという島本は、一緒に行動してみると、決してつき合いづらい相手というわけではなかった。大らかというか鷹揚《おうよう》な部分があったし、この世代の刑事にしては珍しいくらいに、貴子を女性であるというだけで意識することもなく、気難しくもない。事件認知時に、貴子が現場にいたことを記憶していたらしく、「やあ、あんたか」と笑いかけてさえくれた。

そういう点では実に有り難いのだが、とにかく全体に脂《あぶら》じみて不潔に見える点だけが、貴子にはやはり抵抗があった。特に一日中行動を共にして、締めくくりである捜査会議に臨む頃には、隣にいる身としては耐え難いほど汗臭くなるのだ。島本本人は、「今日も汗かいたなあ」などと笑っているばかりだ。その笑顔は、脂じみているとはいえ、そう悪いものではなかった。だからこそ余計に、貴子は文句も言えない気分になった。

――今回のヤマは、最初から臭いに縁があるんだ。そういうことだわ。

本部のデスク要員が、今日一日をかけて各捜査員が集めてきた情報をまとめ終えたようだった。マスコミへの対応に、冷や汗くらいはかいたかも知れないが、いかにも涼しげな表情の管理職たちが入ってきて、ようやく捜査会議が始まったのは午後十一時を回った頃だった。

「ええ、じゃあ現場班から報告してくれ」

会議の司会進行を務める所轄署の刑事課長代理が、ワイヤレスマイクを手に早速本題に入る。

事件捜査には一定のマニュアルがある。殺人や銃器使用による凶悪事件、強盗、放火、誘拐など、いわゆる強行犯の捜査に関しても、貴子たち捜査員は、常に一定のマニュアルに沿って立てられた捜査方針に従って、実に整然と動く。

死体の状況や現場などからの情報を得る他、参考人聴取、現場を中心とした聞き込み、鑑捜査、遺留品捜査などのグループに分かれて、可能な限りの情報を得るところからすべては始まるわけだが、事件が認知されて既に一週間、捜査本部に使われているこの講堂には刑事たちが足を使って集めてきた情報が溢《あふ》れかえっていた。新聞などに発表されるのは、そのうちの、ごく一部に過ぎない。

「調べれば調べるほど、評判の悪い男ですね」

『候屋』の店主だった真鍋実の交友関係を洗っていた刑事が、疲れた顔で報告を始めた。捜査員たちの間に、やり切れない空気が広がった。このところ捜査会議の度に、こういう雰囲気になる。特に、殺害の現場と断定された『候屋』の周辺を聞き込んで歩いている地取り班に割り振られている貴子などは、日中から胃がもたれるような重苦しい気分になることが少なくなかった。

「とにかく真鍋という男は、不義理と裏切りを重ねて生きてきたというか、そういう男のようです。離婚の原因も、どうやらその辺にあったようで、大笹暁子の実家からも、かなりの借金をして、すべて踏み倒しているそうです」

四十九歳だった真鍋実は、いわば団塊の世代のまっただ中にいた。群馬県で生まれ、大学入学時に上京した彼は、そのまま学生運動に参加して、公務執行妨害と凶器準備集合罪、暴行、傷害の容疑などでたびたび検挙されている。結局、六年間在籍するものの、最終的には大学を辞め、それからは喫茶店店員や土木作業員、工員、建築作業員と、様々な職を転々として、現在の古物店を開いたのは、十三年前だった。

「『候屋』の開店に当たっても、女房の実家をあてにしたというのが本当のところだということでして——」

貴子たちが『候屋』の周辺から聞き込んだところでは、真鍋の店は店舗兼住宅の借家で、築四十年という相当に古い家だった。大家は、かねてから取り壊して新しい家を建て直したいと申し出ていたが、真鍋はそれなら立ち退《の》き料を支払えと、法外な金額を要求していたため、膠着《こうちゃく》状態に陥っていたという。

「だいたい開店した当初は、その実家から電化製品やおふくろさんの着物、家具なんかを勝手に持ち出して、店で売ったりもしていたんだそうですから、相当なもんでしょう」

古物店の営業に際しては、公安委員会への許可申請が必要になる。これは本来、盗品などの売買の防止や、速やかな発見をはかるためなどの目的で制定された古物営業法によって定められたものだが、あくまでも資格商売ではないことから、一定の条件を満たしてさえいれば、開業そのものは困難ではない。住居が定まっており、禁治産者や準禁治産者、破産者でもなく、たとえ前科前歴があったとしても、刑の執行を終えて五年以上が経過していれば、まず問題はない。

「扱っていた商品については、こちらも調べてきたんですが」

他の捜査員が立ち上がった。

「真鍋は、いわゆる古物市場には出入りしていなかったようですね。引っ越しをする家から不要になった家具をただ同然で引き取ったり、粗大ゴミを拾ってきたり、それから盗品をさばいていたという噂《うわさ》もあります」

「大学は電気工学科でしたし、大工や工員の真似事《まねごと》をしたこともあるので、壊れている物は、器用に修理して売っていたようですが、またすぐに壊れるんで、苦情を言いにいっても、開き直られるばかりで、絶対に謝ったり、金を返したりはしなかったそうです」

「古物台帳も好《い》い加減で、店内をざっと調べた限りでも、受け入れに記載されていないものが溢れかえってますよ。だいたい、家具や電化製品、食器を扱ってるかと思えば古着もあるし、カメラや時計もある、ブリキの玩具《おもちゃ》もあれば布団《ふとん》もあるという具合で、今流行のいわゆるリサイクル・ショップというのとも、少しばかり違う感じです。客の方から何を探しているかを聞き出すと、どこかから調達してくるという方法もとっていたようですね」

かつて学生運動の闘士だった男が、職を転々とした挙げ句に古物店を開き、そして、自らの性格が原因となって、周囲のあらゆる人たちに悪意を抱かれながら暮らしていた。その姿が、日を追うに従って鮮やかに浮かび上がってくる。火災の現場から拾ってきた布団を売りつけられた、スイッチを入れた途端に煙の出る掃除機だった、家の前に自転車をとめておいたら「ゴミなんだろう」と言われて盗《と》られそうになった、などなど、トラブルは数えきれない。現在のところ、真鍋に殺意を抱きそうな人間、少なくとも悪意を持っている人物は、数知れないというより他ない状況だった。

あんな奴は殺されて当然だ。下手をすれば自分が殺しかねなかった。いつかは、こんなことになるのではないかと思っていた――そんなことを言う人物は、分かっている限りで十数人もいた。その上、本来ならば一回の取引が一万円以上になる場合は、きちんと古物台帳に取引の相手方を記載する義務があるのに、それを怠っているせいで、トラブルが生じたかも知れない顧客のすべてを把握することさえ出来ていない。

――何、やってたのよ。何のための人生だったの。

大笹暁子が子どもを連れて別れた亭主に会いに行った理由も、暁子の夫や、真鍋と暁子との間に出来た宏美という一人娘の証言からおおよそを知ることが出来ている。真鍋は別れた妻や、既に独立している娘のところへ、たびたび金の無心に訪れていた。新しい家庭を築いている暁子にとって、別れた亭主が姿を現し、しかも現在の夫にまで迷惑をかけることは、耐え難かったのだろう。ついにたまりかねたらしく、幼いあいのの手を引いて、手切れ金のつもりで持っていったらしい五十万円は、真鍋が穿《は》いていたジーパンの尻《しり》ポケットから、封筒に入ったままで発見されている。もっとも、しみ出した体液や血液などで、とても満足にいじれたものではなかったらしいが。

「宏美には確実なアリバイがありますし、ウラも取れてます。勿論《もちろん》、手口から考えて、彼女が誰かに殺害を依頼したと考えられないこともありませんが、宏美本人は、真鍋とは、ただ縁を切りたいと思っていただけで、考えることも、思い出すこともしたくなかったと言っています」

親らしいことなど何一つとしてしてもらったことはないと断言する宏美は、真鍋が学生時代に出来た子どもで、既に二十五歳になっている。本人は知らなかった様子だが、真鍋の経歴と彼女の生年月日から考えると、暁子は真鍋の入獄中に彼女を出産し、その後入籍したことになる。現在は、小さな会社の事務員として地道に生活している宏美は、来年には結婚する予定だそうで、父親の遺体を引き取ることを拒絶した。

「宏美は、十年前に暁子が離婚するときに一緒に真鍋の戸籍から抜けて、暁子の戸籍に入っています。高校卒業までは一緒に暮らしていたそうですが、その後、暁子が現在の亭主と一緒になるのを機に独立したということです。ただ、仲は良かったようで、妹が生まれたときも『嬉しかった』と言っていますね。彼女にしてみれば、父親が殺害されたショックよりも、ようやく人並みの幸せを摑《つか》んだ母親と、年の離れた妹が巻き添えをくったことに対する怒りとショックの方が大きいようです」

真鍋と同じ大学の後輩だったという暁子は、実家で長女を出産し、真鍋の出所を待って入籍した。つまり、それほどまでに真鍋を思っていたのだろう。職を転々とし、自分の両親にまで迷惑をかけていた夫に、ついに見切りをつけたのは、真鍋が古物商を始めて三年後ということになっている。

再婚し、新たな子どもをもうけて、ようやく満ち足りた日々が訪れたというのに、こんな最期《さいご》を遂げたことを考えると、真鍋という男は、暁子にとってまさしく疫病神《やくびょうがみ》だったのだという気になる。殺人という凶悪犯罪を容認することは出来ないが、それでも貴子の中には、せめて、真鍋一人が殺されるのなら良かったのだという気持ちが膨らんでいた。

「明日も今日の分担のまま、捜査を進めて欲しい。現金が盗まれていないことから考えれば強盗とは考えにくいが、特殊な古物のマニアである可能性もある。先入観を持たずに、取りあえず可能な限り動機のありそうな者をリストアップすること、さらに、凶器の発見と、事件当日の目撃証言を何としてでも集めてもらいたい。以上、解散」

午前零時を回った頃、管理官の言葉で捜査会議は終わった。そして、管理職の面々が出ていくと、ようやく講堂の空気は和み、「ビール、ビール」などという言葉が聞こえてくる。

「軽く一杯、やっていくか」

島本が嬉しそうに言った。貴子は、「じゃあ、一杯だけ」と頷《うなず》いた。本当は、少しでも早く新鮮な空気を吸いたい、帰ってシャワーを浴びたいと思ったが、冷たいビールを飲みながら、不謹慎とは分かっていながら、真鍋に対する批判を繰り広げるのも、仲間内ならではの、夏の夜の憂《う》さ晴らしだった。

3

【目撃者求め幅広く呼びかけ】

〜立川古物商殺人事件で・警視庁〜

【「自首して欲しい」遺族が訴え】
〜立川古物商殺人事件で・大笹さんの夫がコメントを表明〜

【あいのちゃん哀れ！　母親と共に巻き添えで殺された少女】
〜夏休みは、両親と海へ行くのを楽しみにしていたのに〜

【密室殺人？　立川古物商殺人事件の七つの謎《なぞ》！】
〜なぜ施錠《せじょう》されていた？　なぜ目撃者がいない？　なぜ元妻は子どもをつれていた？　ｅｔｃ．〜

【どうした警視庁・犯罪検挙率低下をただす】
〜凶悪事件に限って、どうして解決出来ないのか？〜

結局、本部捜査に加わっている刑事たちに、盆休みはなかった。新聞だけでなく、週刊誌なども警察の捜査の遅れを指摘し、読者の怒りをあおるようなものが増えつつあった。勝手なことを言うな、こっちは必死で動いているのだ、むしろ、行く先々に現れて捜査の邪魔をしているのはマスコミではないかと、捜査員たちの間にも疲労と苛立《いらだ》ちが募り始めていた。捜査本部の設置されている講堂には、書き直される度に、大きく、また複雑になっていく被害者の周辺人間関係図が張り出されている。それは、テレビのワイドショー番組などが作成するフリップを、より精巧に、緻密《ちみつ》にしてあるようなものだった。

その関係図を眺めながら、貴子はぼんやりとため息をついていた。疲れた。足がだるい。思う存分、眠りたい。

図の中心には真鍋実がいる。「元夫婦」という注意書きと点線でつながれている脇《わき》には大笹暁子の名前と顔写真、二人の間には宏美の名前がある。宏美の脇には婚約者の名前が書き込まれている。一方、暁子は実線で現在の夫である大笹邦明と結ばれており、二人の間に、四歳のあいのがいる。

さらに捜査を進めた結果、真鍋にもまた数年前から、スナック経営の愛人A子がいることが分かっていた。三十八歳のA子には二人の前夫がいて、それぞれとの間に十八歳の長男B男と十二歳の次男C男とをもうけている。二人ともA子が引き取っていることにはなっているが、B男は中学時代から暴走族に入っており、数回の補導歴を持っていて、現在は行方が分からないということだったし、C男の方は、青森にあるA子の実家に預けられたままになっているということだった。それだけでも、A子自身の人生も壮絶なものらしいことが窺《うかが》えた。事実、捜査員の取り調べに対しても、彼女は自分の男運のなさばかりを嘆いていたという。

さらに、真鍋には二人の姉と一人の兄がおり、いずれも平凡な家庭を築いている様子だが、いちばん上の姉の息子が、殺害された叔父に「そっくり」なのだそうで、大学を中退して仲間と事業を興《おこ》した挙げ句、数年前に借金を残して、やはり行方をくらましている。また、真鍋に借金を踏み倒され、家財道具まで持ち出されたという暁子の両親も健在だし、かつては義兄だった真鍋の非道な行為を許せないと断言した暁子の弟も図には書き込まれている。

血縁、親戚《しんせき》関係だけでも、それだけの広がりがあった。さらに、真鍋の仕事関係で分かっている限りの人間関係が別のブロックを形成しており、また、現場から指紋が検出されたことから、真鍋には学生運動をしていた頃の仲間と未《いま》だに関わりがあったことも分かった。警察のファイルに指紋が残っているくらいだから、やはり前歴のある男Dは、現在は自然食品の店を経営しており、市民運動などにも盛んに参加している。彼は、若干の金銭のことで真鍋と小さなトラブルがあったことを認めているが、犯行当日である七月十七日前後は、ジャガイモの出来具合を見るために、北海道の契約農家を訪ねており、崩しようのないアリバイがあった。

その他にも、『候屋』に出入りしていた、いわゆる顧客のブロックがあり、大家を始めとする隣近所などのブロックがある。ここまで範囲を広げ、可能な限り聞き込みに回っているというのに、有力な情報も摑めず、容疑者らしい人物の一人も浮かんできてはいなかった。ざっと数えても五十人にもなろうかという名前は、犯行時に確実なアリバイが存在し、ウラの取れた順に、上から大きく×がつけられていた。

――これだけの人間と関わっていながら。

貴子は、半ばうんざりしながら、日増しに×で消されていく人々の名前を眺めていた。もっとも身近にいそうなところから、捜査員たちは一人一人、丁寧に事情を聴取し、アリバイを主張する相手については、さらにその都度、ウラをとって歩いている。それは、たとえば真鍋の娘の宏美や、宏美の婚約者、また、妻子を同時に失って、未だにショックから立ち直れない状態の大笹邦明に対しても同様に行われた。ことに大笹邦明に関しては、暁子が帰宅しないことを知ってから警察に届けるまで、丸一日の空白があったことから、当初はかなり容疑が濃いのではないかと思われた。

大笹は、妻が再婚であることも、前夫である真鍋が最近になって何度となく金の無心にやって来ていたことも知っていた。そんな真鍋を疎《うと》ましく思わないはずがない。さらに、既に離婚しているはずなのに、しつこく訪ねてこられれば、幾ばくかの金を渡してしまっていたらしい暁子への苛立ちが募ったとも考えられなくはなかった。つまり、動機がないわけではない、ということだ。

だが、大笹邦明の家庭が円満で夫婦仲には何の問題もなく、また、五十になる大笹にとって、四十半ばになってから初めて恵まれた娘が最愛の存在だったことは、隣近所や親戚、邦明の職場などからも多数の証言が得られた。また、届け出が遅れたことに関しても、暁子の父親が腰を痛めており、前々から見舞いに行きたいと言われていたから、おそらく実家へ帰っているのだろうと思ったという邦明の説明には無理がなかった。既に両親を亡《な》くしている邦明は、暁子の両親に対して好意的で、数年後には二世帯で暮らせる家を探そうかという相談まで持ち上がっていた。暁子が幼いあいのを連れて実家へ行くことは、決して珍しいことではなかったのだそうだ。そして何よりも、七月十七日には、大笹邦明は午前中から午後九時過ぎまで、ずっと勤務先にいて、常に誰かと一緒に行動しており、れっきとしたアリバイが成立していた。

同様に、真鍋の愛人であるＡ子の長男Ｂ男も、以前から真鍋を嫌っており、さらに行方不明になる直前には真鍋と大喧嘩《おおげんか》になって、かなり激しく殴られたことがあって、真鍋を恨んでいる可能性が強いと思われた。つまり、B男にも犯行の動機があるということだ。聞き込みを進めるにつれて、B男の凶暴な性格や、欲しい物があると、簡単に万引きをするというような短絡的な一面、親や教師にも反抗的で、暴走族仲間にもかねてから「真面目《まじめ》に生きる奴《やつ》は馬鹿《ばか》だ」と主張していたなどの反社会性が浮き彫りにされ、B男こそが本ボシではないかという見方も自然に強まった。

だが、数人の捜査員がB男の行方を追ってはいるものの、現在のところ本人の所在が摑めないばかりか、『候屋』店内や住居部分から検出されたおびただしい指紋の中からも、B男のものは見つかっておらず、また、現場に残っていた血の混ざった足跡のサイズも、B男のものよりは一センチ大きい二十七・五センチだったことから、B男を最重要参考人と決めつけることは出来なかった。

『候屋』の賃貸借権の問題でモメていたという大家も、ある程度の動機があるとは思われたが、六十八歳という高齢であることと左利《き》きであること、さらに足のサイズが二十四センチと小さいことが、ホシである可能性を決定的に低くさせた。無論、誰かに殺害を依頼することは出来たとしても、これからアパートに建て替えたいと思っている場所で殺人事件が起これば、その後、借り手がつきにくくなることぐらいは容易に考えられる。

「とにかく鍵《かぎ》を持っていなきゃ施錠できないわけですから。だとすれば、どうしたって身近な者になるでしょう」

「鍵を持っていたのは、大家、不動産屋、それからA子も合い鍵を持っていたな」

「だから、A子の鍵から、さらにB男が合い鍵を作ったとも考えられるんじゃないですか」

「B男みたいな野郎が、そこまで周到に考えますかね」

「まあ、それはそれとして、だ。たとえば流しの犯行だとしても、ホシが逃走前に合い鍵を探し出した可能性だって、あるだろう。もしかすると、暁子だって以前はあの家に住んでたわけだから、合い鍵を持っていなかったとは言い切れない」

「ガイシャの持ち物から鍵だけを探して、金を盗《と》らないっていうのも変じゃないですか。流しの犯行なら、当然、金銭目的でしょう」

「いや、そうとも限らないんじゃないですか。何しろ、ああいう商売ですから。最初から特定の品物が欲しくて、金を盗るのが目的じゃなかったんなら、ガイシャの金に手を出さなかったとはいっても、不自然とは言い切れないですよ」

「真鍋が借りる前に、あの家を借りていた人間は、どうなんだ」

「それについては、調べがついています。真鍋が借りる時点で、家の鍵はつけ替えられています」

「つまり、それまでの間借り人は、完全に無関係ということか」

「これだけでも、少しは狭まりましたかね」

未だに容疑者の的が絞り切れていない捜査会議では、毎晩のように似たような会話が繰り広げられる。俎上《そじょう》には次々に新たな人物が上げられ、縦からも横からも眺め回されるのだ。

本来なら自分とはまったく無関係のはずの、見知らぬところで形成されている人々の暮らしを、こんな形で垣間《かいま》見《み》るのが刑事なのだと、こういう時に貴子は改めて思う。彼らは、まさか自分の名前が警察の講堂に張り出されることがあるなどとは、考えたこともなかったに違いない。暮らし向きを探られ、隠していたい人間関係や、忘れたい過去までも掘り返されて、たとえ事件とは無関係だと主張しようとも、そのウラが取れ、別に有力な容疑者が浮上するまでは、完璧《かんぺき》にシロとは思われない立場に立たされてしまった多くの人たち。

――恨むんなら、真鍋を恨んでよ。

いや、違う。恨むのなら、未だ浮上してこない殺人者をこそ、恨むべきだ。既にホトケとなった人間を云々《うんぬん》しても仕方がない。

「真鍋は、覚醒剤《かくせいざい》の売買に手を出していたらしいという噂《うわさ》があります」

ところがその晩、さらに真鍋の人間関係図を複雑にし、捜査の範囲を広げさせ、ガイシャに対する嫌悪感《けんおかん》を募らせる報告があった。旧盆に入り、昨日辺りからは通勤電車も拍子抜けする程に空《す》いてきて、訪ねる先にも留守が多くなっていた。ただでさえ思ったような手応《てごた》えの得られない日々が続いている中で、沈滞ムードさえ漂い始めていた本部内に、ため息とも深呼吸ともつかない音が溢《あふ》れた。これで、新たな突破口が開けるかも知れない。だが、捜査範囲ばかりが広がって、やがて雲散霧消してしまうのではないかという不安もつきまとうのだ。

「しかしまあ、ろくなことしてねえ割に、ちょろちょろと悪いことばっかり、マメにやっていやがるなあ」

隣で島本が苦笑混じりに呟《つぶや》いた。捜査本部にいる全員が徐々に疲労を募らせ、神経を尖《とが》らせている中で、島本の呑気《のんき》さは、一つの救いになった。これで、もう少し清潔を心がけてくれる人だったら、貴子としてはかなり好意的になれるのにと思うと、残念な気にさえなる。つい数日前も、島本は「いやあ、まいった」と言いながら、駅のホームで拾ったスポーツ新聞を読もうとしたら、中に痰《たん》が挟まっていたなどという話を平気でするのだ。一体、この人の女房は、どうして夫の性癖や、何よりもこの臭《にお》いが気にならないのだろうかと、貴子はいつも首を傾《かし》げたくなる。妻帯者であることは間違いがないのだ。話の端々に子どものことなどが登場するし、「かみさんが」という言葉も、一度ならず聞いている。

「覚醒剤が絡《から》んでくるとなると、またかなり厄介になりますね。マルボウか、外国人組織か、そんなのまで出てくるんでしょうか」

お偉方たちが難しい顔で額を寄せ合うのを横目で眺め、隣の島本に顔が近づき過ぎないように気を配りながら、貴子は囁《ささや》き返した。言い終えてから隣を見ると、島本は我関せずといった表情で、眉毛《まゆげ》だけを上下させている。

「まあさ、考えようによっちゃあ、女のホトケさんは別として、ガイシャがガイシャなんだ。こっちが思わずもらい泣きしちまいそうな、深ぁい事情を抱えてるホシよりゃあ、真鍋以上のろくでなしの方が、気が楽っていやあ、気が楽だ」

そんな考え方もあるものだろうか。貴子は「なるほど」と小さく囁き、また大きなため息をついた。

4

【市民に協力を呼びかけ・目撃証言を求めて街頭でチラシ配布】
～警視庁・立川古物商殺人事件で～

先月二十六日に子どもをふくむ三人の他殺死体が発見された事件を捜査している警視庁と立川中央警察署は、十七日、被害者が殺害された日から丸一カ月が経過したことから、改めて目撃証言を求めたいと、立川駅前などで、道行く人にチラシを配布し、容疑者逮捕への協力を呼びかけた。

立川市栄町六丁目の古物店『候屋（そろうや）』店主・真鍋実さん（四九）、大笹暁子さん（四五）、大笹さんの次女あいのちゃん（四つ）の三人が殺害されて、丸一カ月が過ぎた。この間、警察では立川中央署に捜査本部をもうけて百人以上の専従員を投入し、捜査を続けてきたが、未だに犯人検挙に結びつく重要な手がかりを得ていない。十七日、捜査員たちは、被害者の写真に手を合わせた後、ＪＲ立川駅前などに立ち、サラリーマンや買い物客らにチラシを配布して、広く協力を呼びかけた。

【奥多摩山中から発見された白骨死体は、立川の事件の重要参考人】

〜十八歳の少年・歯の治療痕《こん》から身元が判明〜

二十三日、東京都西多摩郡奥多摩町の山中から発見された男性の白骨死体は、その後の捜査の結果、歯の治療痕から東京都昭島《あきしま》市宮沢町に居住していた十八歳の少年であることが判明した。死体は既にほぼ白骨化しており、正確な死因については、まだ分かっていない。少年は、今年五月頃から行方が分からなくなっていたが、かねてから家出を繰り返していたことなどから、家族から捜索願は出されていなかった。また、この少年は、現在警察が捜査を進めている立川古物商殺人事件の重要参考人として名前が上がっていたことも分かった。少年は、母親が被害者の真鍋実さん（四九）と交遊があったことから、かねてより真鍋さんと面識があり、また、二人が数回にわたり大声で言い争っていたことがあるのも目撃されており、今回の事件と何らかの関係があるのではないかと目されていたという。現在、捜査が難航している捜査本部では、少年が死亡した時期と死因の特定を急ぐと共に、改めて事件との関連を調べる方針。

まったく、好《い》い加減なことを書く。窮屈な朝の電車の中でようやく記事を読んだ後、貴子は腹立ち紛れに新聞を折り畳んだ。A子の長男B男が白骨死体で発見されたのは、確かに衝撃的ではあった。だがそれは、B男が貴子たちにとって既に未知の存在ではなかったから、ということに過ぎない。B男が既に容疑者から外れていたことは確実なのだ。大方、この新聞の記者が捜査員の誰かにしつこく貼《は》りついて、どうにか引き出した話を鵜呑《うの》みにしたに違いなかった。

「誰か、リークしたんだろうな。からかい半分にさ」

待ち合わせの場所に、珍しく先に到着していた島本も、既に記事のことは知っていた。本部捜査の場合、一日の締めくくりに捜査会議を開くのは、その日の捜査結果をまとめると共に、新たな方針を確認し、翌朝すぐに捜査活動に取りかかるためだ。だから、この一カ月あまり、貴子はほとんど毎朝どこかの駅前か街角かで、島本と待ち合わせをしていた。

「阿呆《あほ》だよなあ、ったく。おふくろさんが読んだら泣くじゃあねえか、なあ」

立ち喰いそばでも食べたのか、額に汗を滲《にじ》ませ、爪楊枝《つまようじ》で歯をせせりながら、島本は鼻から荒々しく息を吐き出している。今朝、貴子たちは東村山に向かっていた。地取り捜査も三回以上繰り返し、何も得られなかった貴子たちは、十日ほど前から、真鍋の電話の通話記録を調べる班に組み込まれている。真鍋は、店用の電話の他に個人の電話と、さらに携帯電話も所有していた。個人の電話以外は、かなり頻繁に外からかかってきたり、真鍋が利用したりしていたことが分かっている。真鍋が殺害された直前から遡《さかのぼ》って、その通話記録の一つ一つを確認して歩いているのだ。

「それにしても、焼けたね、音道っちゃん」

ふいに島本がこちらを見て目を細めた。貴子は照れたように笑いながら、紺色の窮屈なスーツから出ている二の腕を心持ち上げてみた。確かに、シャワーを浴びる度に思う。顔の方は、どんなに疲れて帰っても、洗顔後にUVケア美容液をすり込んだり、ファンデーションにも気を使ったりしているのだが、腕の方までは気が回らない。取っ替え引っ替え着ているスーツは、どれも似たような袖丈《そでたけ》だから、最近は二の腕にくっきりと日焼けによる線が入るようになった。

「シミに、なりますかね」

何気なく言うと、島本はぷっと爪楊枝を吐き捨てて、声を出して笑う。

「まだまだ、大丈夫だって。第一、二の腕の肉がたるんでねえもんな、大したもんだ。うちのカミサンなんか、三十過ぎた頃には、もう、ぷるんぷるんしてたなあ」

また、女房の話だ。片手に地図を持ち、目的地までの道筋を確認しながら、貴子はちらちらと隣を歩く島本を見た。丸くて大きな顔ののっているワイシャツの襟は、プレスどころか糊《のり》づけもされていない様子で波打っているし、ネクタイはずっと同じ柄だ。スーツだって、ズボンの折り山など、ほとんど消えかかっている。

「島本さんの奥さんて、お幾つですか？」

「カミサン？　四十」

「あの、専業、主婦ですか」

柔和な表情のままで、島本は「うん？」とこちらを見た。余計なことは聞かないに限る。それは分かっていながら、貴子は何となく探るように小首を傾げて見せた。

「仕事はしてないけどな。ずっと留守だ」

「ずっと、って――」

「入院中なんだよな」

「――入院、なさってるんですか」

「長いぜ、もう、かれこれ五年になるかな」

「あ――すみません。余計なこと聞いて」

「いや、別に構わんよ」

聞いてはいけないことを聞いたと思った。貴子は、どんな顔をして良いのか分からないまま、うつむきがちに歩き続けた。陽射《ひざ》しは強く、早くも額から汗が滲んでくる。

島本はそれから、いともあっさりした口調で、彼の妻は五年前に交通事故に遭い、以来、ずっと意識が戻らないのだと言った。事故から一年が経過したところで呼吸器も外したのだが、自力で呼吸しながら、ずっと眠り続けているのだそうだ。焼けつくような陽射しと蟬時雨《せみしぐれ》に包まれながら、貴子は胸の詰まる思いで「昔から、よく寝る奴《やつ》なんだ」という言葉を聞いた。

――こんな夫婦もいる。

別れた後になっても、同時に殺される夫婦もいれば、片方が長い眠りにつきながら、添い続ける夫婦もいる。自分もかつて夫を持っていた身にとって、彼らの姿は、ある種、不思議に思われた。まるで、あっさりしていない。当然のように絡み合い、もつれ合って生きている。そういう結びつきこそが夫婦というものなら、貴子が経験した短い結婚生活など、お話にならない程ちゃちなものだった。駄目になって当然だった。

「あれか？」

二人の子どもは女房の実家が近いので、行ったり来たりしているなどと言いながら、小さな角を曲がったところで、島本が言った。つられて顔を上げた貴子は、前方のマンションの前に停まっている黄色いワゴン車を見つけた。車体にピンク色で大きな鍵《かぎ》の絵と「鍵の一一〇番」という文字が描かれている。さらに黒い色で大きく書かれている電話番号は、貴子が握っているメモに書き留められているものと同じだった。

「あれですね」

貴子も頷《うなず》いた。七月から遡って携帯電話の通話記録を調べていくうち、昨日になって、真鍋は四月の中旬にいわゆる「鍵の一一〇番」とも呼ばれている二十四時間営業の鍵店に電話をかけていることが分かった。今日は、そこから当たることになっていたのだ。

「四月、ですか？　四月ねえ」

「四月十二日です。通話記録ですと、午後十一時四十分頃なんですが」

「立川でしょう？」

鍵屋の主人という男は、貴子と同年代の、どう見ても三十二、三の髪を染めた男だった。車を停めていたマンションの一階が店舗になっているのかと思ったら、そのワゴン車そのものが店なのだそうで、彼は、そのマンションの上の階に住んでいるという話だった。

「手軽な商売だなあ。いいなあ」

島本は、いかにも感心した様子で、その場で合い鍵を作れる工具や、様々な七つ道具の並んでいる車内に首を突っ込んでいる。彼は、聞き込みをほとんど貴子に任せていた。その方が相手も喜ぶだろうというのだ。だから、島本と組んで以来、貴子は常に彼の前に立って、見知らぬ人に話しかける日々を送っていた。

「立川の、古道具屋さんなんです。結構古い一軒家で、店の前はグレーのシャッターで、脇《わき》に木彫りの大きな象と、仏像なんかが立ってるんです」

「立川の、古道具屋？」

車と同様に真っ黄色のつなぎとキャップを被《かぶ》った男は、しきりに首を傾げていたが、突然「あ」と言った。貴子も思わず身を乗り出しそうになった。

「ひょっとして、あれ？　あの、殺されたっていう？　それの捜査？」

頷くより他ない。だが、黄色い鍵屋は、急に興味津々《しんしん》の表情になって「そうかあ」

「へえ」としきりに頷き始めた。

「あの、殺された人から、俺、電話受けてたわけかあ。へえ」

「まあ、その段階では、自分が殺されるなんて、思っていなかったでしょうが。あの、思い出していただけないですか」

「ねえねえ、その人の写真か何か、持ってる？　顔でも見たらさ、思い出すかもしんないし」

貴子は、聞き込み用の刑事手帳に挟んであった真鍋実の写真を取り出した。おそらく数年前のものだが、少し髪に白いものが混ざった程度しか変わっていないということは、愛人だったA子の確認を取ってある。機械油のせいか、黒く汚れた爪《つめ》をした鍵屋は、その写真を手に取ると「あれえ」と言いながら、しげしげと眺めた。

「これが、殺された人？」

本当に最近の人は、言葉遣いが変だ。貴子と同世代くらいでも、こうして未知の相手に友だちのような話し方をすることが珍しくない。貴子は、無関係なことに小さく苛立《いらだ》ちながら頷いた。黄色い鍵屋は、なおも「あれえ」と呟《つぶや》いていたが、やがて、細い目を精一杯に大きく見開いて「そうだ」と言った。

「思い出したわ。あのねえ、電話、あったことはあったんだよね。だけどあの時、俺、何か他のことで手が離せなかったんだ。立川まで行くのに二、三時間は待ってもらうことになるって言ったら、もう怒っちゃってさあ、『何のための一一〇番なんだ』とか言われて」

「あの、それで？」

「だからさあ、あれこれ考えて、仲間をさ、向かわせますからって答えたんだよ。俺らって一応ね、学校みたいなところで、鍵の開け方とか習うんだけど、そこで知り合った奴らとは、結構、今でもネットワーク結んでるんだ」

さっき、島本の話を聞いてわずかに痛んだ胸が、今度はにわかに高鳴り始めた。何なのだろう。いつもと同じように聞き込みを続けているだけなのに、息苦しいような緊張感が全身に広がろうとしている。日に焼けた二の腕をぞくぞくとする感覚が駆け上がった。

「それで何人か声かけて、やっと連絡のとれた仲間っていうのがさ、歳《とし》は違うけど、この写真の人に、妙に似てんだよね」

「似てる？」

ふいに島本が口を挟んできた。鍵屋は大げさなくらいにはっきりと頷いた。

「それで思い出したんスから」

「その仲間の名前と連絡先、教えてもらえるかね」

「あ、いいっスよ。田部井《たべい》って、いう奴ですけど」

田部井――。ほんの一瞬、頭の中に空白が出来た。そして次の瞬間、貴子は島本と顔を見合わせ、頷きあっていた。毎晩のように捜査本部で睨《にら》みつけている、あの真鍋を取り巻く人間関係図の中に、その名前は確かに存在した。

5

【被害者の甥《おい》から聴取】

〜立川古物商殺人事件〜

去る七月十七日、立川市栄町の古物商・真鍋実さん（四九）ら三人が殺害された事件で、警視庁は都内在住の三十歳の男性から詳しい事情を訊《き》いていることが判明した。

事情聴取を受けているのは真鍋さんの甥で、五年ほど前から家族と連絡を絶っており、行方が分からなくなっていたという。今年の春ごろから真鍋さん宅に出入りするようになっていたことを近所の人が見ていたが、男性の顔立ちが真鍋さんとよく似ていることから、「親子かと思った」という。男性の行方を探していた家族は、そのことを知らなかった。この男性の居住していたアパートの部屋からは、真鍋さんの店『候屋（そろうや）』で売られていた置物などが発見されており、中には真鍋さんが三百万円の値をつけていた仏像などもあることから、捜査本部では、それらの品物を入手した経緯などについて、連日、詳しく事情を訊いている。

貴子と島本が、東村山の鍵屋から田部井友一にたどり着いてから、既に二週間あまりが経過していた。真鍋の周囲にいた行方不明の人物のうち、一人が白骨死体で発見され、もう一人が真鍋の身辺にいたことが分かったときには、捜査本部はにわかに活気づき、総力を結集して田部井の身辺を捜査した。その結果、田部井友一は「シロ」である可能性が極めて低いということになったのだ。好《い》い加減な真鍋でも、古物台帳にまったく何も書き込みをしていなかったというわけではない。田部井の部屋にあった品物については偶然にしろ、真鍋は記録を残していた。

田部井という男は、外見は軽ワゴン車など乗り回し、腕一本で生計を立てている、いかにも今風の青年という感じだった。車には『キー・ウェスト』という飾り文字が躍り、誰に頼んだのか、電話の絵も、「鍵の一一〇番」というキャッチフレーズも、それなりに凝っていた。かつて、大学を中退して仲間と事業を興《おこ》し、借金を残したまま行方をくらましていた男は、一見するとそれなりの苦労を重ねてきて、今あらたに活動を始めたようにも見えた。

だが、軽ワゴン車が後ろのハッチドアを開けて停車しているときに中を覗《のぞ》いてみて、貴子はまず、田部井の別の顔を見たと思った。車の天井には、鮮やかな色彩の曼陀羅《まんだら》が貼《は》られており、また、壁などにもヒンズー教の神であり、破壊や生殖をつかさどるというシバ神の絵が貼られていたからだ。しかも、方々に梵字《ぼんじ》で書かれた何かのお札のようなものまで貼られていたし、カーステレオからは、インドのものらしい不思議な音楽が流れていた。

田部井自身は、小鼻に小さなピアスをつけていて、手首にも何本もの念珠をかけていた。服装はといえば、東村山の鍵屋のようにユニフォームとなるつなぎなどは着ておらず、ジーパンにTシャツ姿のままだ。仕事が入ったときだけ、デニム地のエプロンをするという。その後の取り調べによって、行方をくらましていた五年のうちの三年半を、田部井はインドで過ごしていたことが判明した。挫折《ざせつ》して、何もかも嫌になった青年がインドを放浪するというのは、分かりにくいことではなかった。

「とにかく本人は、『自分はインドで生まれ変わった』って言うんですね。その話になると途端に目の色が変わって、別人のようによく喋《しゃべ》るんです。何だか、自分なりの精神世界を極めることに目覚めたんだとか、大地から魂の叫びを聞いたんだとか、そんなことばっかり言ってます。ああ、あと、仏の光を浴びたとも、言いました」

かつての商売とは、いわゆるイベント企画会社のようなもので、当時の仲間から聞いたところでは、田部井は話術が巧みで軽妙で、特に若い女性に対しては非常に熱心だったという。どん欲で行動的でもあり、自分が手に入れたいものは、どんな手段を取ってでも手に入れようとする部分があったらしい。だが、飽きるのも早く、計画性に欠け、金銭に対しても相当にルーズだったところから、結局、商売は失敗に終わった。そんな男が、インドで変わったことだけは、どうやら確かな様子だった。現在の田部井は、表情も暗く、口数も少なく、潑剌《はつらつ》とした雰囲気などまるで感じられない。だが、性格のすべてが一変するはずもない。「どんな手段を使ってでも」欲しいものを手に入れる性格が、今回も顔を出したのではないかと、捜査陣では考えていた。

何しろ、田部井は事件当日のアリバイが成立していない。右利《き》きで、靴のサイズが二十七・五センチである。『候屋』の店内、住居部分から多数の指紋が検出されている。鍵屋という商売柄、合い鍵を作ることくらいはお手のものだから、事件発覚当時、『候屋』がきちんと施錠《せじよう》されていた理由も納得出来る。しかも、経済的には決して楽ではなかった。そんな男が三百万という値――これについては、別の問題もあった。田部井本人の許可を得て任意に提出させた仏像は、専門家に鑑定を依頼した結果、二束三文のガラクタであることが分かったからだ。真鍋は江戸中期の作と言っていたらしいが、実際は昭和に入ってからの、実に好い加減な造りの仏像であるということだった。たとえ、寺院などから盗み出されたものであるとしても、寺の方でも恥ずかしくて届けられないような品物、というのが、専門家の意見だった——のついていた仏像を簡単に買えるはずがなかった。一方、別れた妻にまで金の無心をしていたような真鍋にしても、そんな高値をつけている品物を、たとえ相手が甥であろうとも、おいそれとやってしまうとも考えられなかった。だまされる客を待って、せいぜい二百万程度まで割り引いて渋々という表情で売るというのが、真鍋のやり口のはずなのだ。

つまり、田部井には、真鍋を殺害する動機があったと考えられる。

「それだって、本人はもらったって言い張ってるわけですし、違うと証明できるものも、今のところは何もありません」

このところ、ずっと田部井の事情聴取を行っている捜査一課の警部補が、疲れた顔で報告する。その横顔を眺めているだけで、貴子は何となく首をすくめたい気分になった。

「試しに、あの仏像の本当の価値について、ぶつけてみたんですが、けろりとしたものでした。自分にとって価値があるなら、それで良いのだ、あの仏像には魂が宿っている、仏像自身が田部井を望んだから真鍋も納得したのだと、そんなことを言ってましてね」

五十に手が届くと思われる警部補が、大きくため息をついたのが分かった。その徒労感は捜査本部全体に伝わり、まるでさざ波のように方々でため息が漏れた。

「我々も、八方手を尽くして仏像のことを覚えている人間を捜しているんですが、今日のところは——収穫ありませんでした」

貴子たちの班のチーフ格の刑事が、やはり暗い声で呟いた。捜査会議が始まる直前まで、眼鏡を放り出して、指先で目頭の辺りを押さえたまま、じっと動かなかった刑事だ。

現在のところ、田部井は自宅アパートに置いてあった仏像を、六月下旬に真鍋からもらい受けたと主張している。つまり七月以降も、その仏像が『候屋』にあったことを記憶している人間が見つかれば、田部井の嘘《うそ》はほころびを見せることになるのだ。たとえガラクタでも、三百万もの値をつけていたのだから、真鍋はその仏像を、ある程度目立つ位置に置いていたと思われるのに、だが、隣近所でも、店の常連客でも、今のところ、仏像の存在を記憶している人間に行き当たらない。

「まあ、その点については、明日も引き続き聞き込みだな」

現場の指揮をとる責任者である管理官の言葉に、またため息のさざ波が広がった。どんなに善意の市民でも、刑事にたびたび顔を出されて、変わり映えのしないことばかり繰り返し質問されると、自然に応対が悪くなる。最初のうちこそ、瞳《ひとみ》さえ潤《うる》ませながら被害者を哀れみ、自分に出来ることなら何でも協力するなどと言っていたような人間に限って、面倒になってくると途端にぞんざいになるものだ。今日も貴子は、島本共々、「もう来ないでくれ」という意味のことを数回聞かされた。自分が関係者だと思われては困る、年寄りの血圧が上がる、結婚の決まった娘がいて、嫁ぎ先で興信所を雇っている可能性があるなどと、とってつけたような理由は様々だった。勿論《もちろん》、それで「分かりました」と引っ込むようでは刑事はやっていかれない。もしも、一通り聞き込みを終えて、なおかつ収穫がなければ、そう遠くない将来、貴子たちはまたもや招かれざる客になることだろう。

「目撃者の方は、どうなんだ」

「駄目ですね。見たかも知れないし、見なかったかも知れないっていうんです。何しろ、田部井は真鍋とよく似てますから、夜なんか見かけても、遠目じゃ見分けがつきにくいらしいんです。今日も二人の写真を持って回りましたが、確かに事件当日あたりに見かけた気はするが、どっちだったか分からないっていうことです」

新しく報告した刑事も、やはり日に焼けた顔に疲労を滲《にじ》ませていた。貴子は、自分の手許《てもと》にある二枚の写真を改めて見比べてみた。確かに田部井友一は、仲間の鍵《かぎ》屋が驚いたのも頷《うなず》ける程、真鍋とよく似ているのだ。本当の親子だって、ここまで似るのは珍しいくらいだという気がする。これでは、田部井の母親、つまり真鍋の長姉が、自分の息子を弟と「そっくり」と表現したのも無理もなかった。これだけ顔立ちが似れば、自然に性格だって似るのかも知れない。しかも、田部井は三十歳とは思えない程に白髪が多く、それが余計に目撃者の混乱を招いているのだった。

まるでつき合いの絶えていた叔父と甥が、こんな形で再会することもあるのかと、貴子はまた密《ひそ》かにため息をついた。たまたま、鍵をなくした。たまたま、呼ばれた鍵屋が忙しかった。たまたま、手の空いていた仲間に仕事を回した。そんな偶然が、人と人とをつなげていく。

「靴のサイズだけで引っ張るには、あまりにも無理があるしな」

捜査員たちは今やほぼ全員が、田部井はクロだと信じていた。一歩退いて冷静に考えれば、かなり危険な思い込みかも知れない。だが、貴子も同様に、田部井はクロだと感じていた。鍵屋が「あれえ」と言ったその時から、さらに、初めて田部井を見たときから、その感覚は、まるで揺らいでいないのだ。これが、いわゆる刑事の勘というものなのかも知れないと思う。

だが、それでも逮捕には踏み切れなかった。目撃証言と同様に、彼がクロであると決定づけるだけの物証が、未《いま》だに発見されていないからだ。状況証拠だけでは無理に逮捕して起訴まで持ち込んだところで、公判は維持できない。たとえ無理にこじつけて逮捕しても、検察がそんな状態での起訴は見送るだろうというのが、上層部の意見だった。

「とにかく『証拠を見せろ』の一点張りですからね。奴《やつこ》さん、自信満々ですよ」

「やっぱり、凶器だな」

結局、話はそこに戻る。この一カ月あまり、どんな形状かも分からない凶器を探し求めて、方々をさまよい続けてきた捜査員たちが、がっくりとうなだれた。

真鍋と暁子を殴ったのは、頭蓋骨《ずがいこつ》の骨折の具合や頭皮の傷の形状から、かなりの重さのある、たとえば置物のようなものと言われている。田部井の存在が浮かび上がった当初は、田部井が部屋に飾っていた仏像こそが、凶器なのではないかという推理も浮上した。だが、鋳物《いもの》の仏像からは真鍋の指紋は検出されたものの、血液反応は検出できなかった。綺麗《きれい》に洗い流し、ふき取るなどしていれば、指紋も消えるはずなのだから、その仏像は凶器ではないということになる。さらに、あいのも含めて三人を滅多刺しにした凶器についても、未だに発見はされていない。

——ひょっとすると、やっぱり勘違いなんだろうか。私たちは、まるで見当違いのルートを進んでるんだろうか。

いくら、自分の勘を信じたいと思っても、つい、そんな気持ちになる。弱気になるな、諦《あきら》めるな、そうなったら目が曇ると、いつも言われているのだが、もしも刑事たちが集団で思い込んだ挙げ句、冤罪《えんざい》事件に発展したら、それこそ取り返しのつかないことになる。

「だいたい、こんなにたくさん報道されてるのに、叔父が殺されたことを知らなかったっていうこと自体が、完全に不自然じゃないですか。三百万もする仏像をぽんとくれた叔父ですよ」

そんな貴子の心を見透かしたように、また新たな意見が出された。揺れ始めていた気持ちが、慌《あわ》てて態勢を立て直そうとする。そうなのだ。あの男は不自然だ。あの目つきは不自然だ。叔父だけでなく、その日たまたま訪ねてきていたに過ぎない、まるで無関係の人間まで、幼い少女まで殺《あや》める人間には、それ相応の雰囲気があってしかるべきだ。田部井には、その雰囲気がある。表情のない、落ち着きすぎている部分が、まずおかしいではないか。

「それについては、本人は『そうですかね』としか言わんのだ。新聞はとってないしテレビは見ない、ラジオは聴かない、アパートにいるときも車に乗ってるときも、ひたすら奇妙な音楽ばっかり聞いてるっていうんだから。奴さん、『今の日本の、何を見ろっていうんです』と、こうだからな」

ところが、そのひと言が、また気持ちを萎《な》えさせてしまう。変わり者。それだけの理由で、人を疑えるはずがない。

――上がったり、下がったり。

何と疲れる事件なのだろう。ようやく小さな明かりが見えたと思ったのに、そこまでたどり着く道のりの、何と遠いことだろう。

「シロならシロで、今度はそっちを裏づける何かがあっても、いいじゃないですか。毎日、都内を走り回ってるんですよ。客のところでもガソリンスタンドでも、どこかに寄ってるって証明出来そうなものじゃないですか」

貴子よりもずっと若い、二十五、六に見える刑事が顔を紅潮させて発言した。貴子は、ぼんやりと「若い」と思っていた。灰色の人物の場合、シロであることを証明するのは、クロであることを証明するよりも、なお難しい場合がある。特にこの都会には、一人暮らしだったり、他人と接触しない人間が溢《あふ》れかえっているのだ。家に帰りさえすれば、その後のアリバイなど証明のしようがないという人は山ほどいるだろう。その上、田部井は独身で一人住まいで、友だちも持たず、ひたすら精神世界とやらを探求している日々を送っていた。現に、彼の狭い部屋からは、かなり怪しげな宗教書に至るまで、彼の発言を裏づけるような本が多数発見されている。

「このまま、田部井を引っ張れなかったら、どうなるんでしょう。捜査、振り出しですか」

長かった捜査会議が終わった後で、その夜、貴子は久しぶりにその後の「慰労会」に顔を出した。どうせ、今から帰っても終電には間に合わない時間になっていたし、気が重くて、憂《う》さ晴らしの一つもしたい気分だったから、思い切って署に泊まることにしたのだ。

「振り出しっていうか、まあ、下手すりゃあ、迷宮《おみや》入りってことも、あるかも知れねえよなあ」

島本が、また首筋の垢《あか》をこすりながら呟《つぶや》いた。他の刑事たちも浮かない表情のまま、手に手にビールや日本酒の注がれたコップを持って、微《かす》かに頷く。

確かに、日頃の機動捜査隊の勤務の中でも、貴子が扱ったひったくり事件や暴行事件などで、未だに被疑者が浮かび上がっていないというヤマがいくつか存在するはずだ。だが、この数年、常に初動捜査に関わってきた貴子にしてみれば、次々に発生する事件への対応に追われるばかりで、その結末については、あまり注意を払うこともなかった。その余裕もなかったというのが正直なところだ。それが、こうして本格的な捜査に参加しながら、しかも、三人もの人間が殺害されている事件でホシが上がらないというのは、改めて、何ともやり切れない気分になるものだった。そんな馬鹿《ばか》な、という思いがある。ここまで卑劣な犯罪を犯しておきながら、今ものうのうと日々を過ごしている人間が存在するということが、どうにも納得出来なかった。吐き気こそ催さなくなったものの、貴子は、三人のホトケの姿を、今も毎日のように思い出している。このままでは、浮かばれるはずがないと思う。

「そんなの、我慢出来ませんよね。絶対」

さっき、「シロの証明」について熱弁を振るった若い刑事が、酒のせいもあってか、なお一層赤く見える顔で、膝《ひざ》の上で拳《こぶし》を作りながら呟いた。我慢出来なかったらどうするというのだと、貴子は半ば冷ややかな眼差《まなざ》しを、その刑事に向けた。それから、自分が小姑《こじゅうと》的な底意地の悪さを抱きつつあることに気づいて、密かに慌てた。その通りなのだ。貴子だって、そう思っている。だが、敢《あ》えて口にするのが躊躇《ためら》われた。青臭さだけでは、事件捜査など続けられはしないと、どこか疲れの滲んだ冷ややかさがつきまとっている。

「あの野郎を、とにかく自白《げろ》させるしか、ねえよなあ」

事情聴取の間にも、「叔父は哀れな人だ」と平然と言い、その場で手まで合わせて見せるような被疑者を、どう落とせば良いものか、取調官も悩んでいる。それでも、続けないわけにいかないのだ。同様に貴子たちもまた、厳しい残暑の町を、一日中歩き回らなければならない。

「あいつに負けないように、俺らも皆で祈願するか、なあ」

「占い師にみてもらうっていうのは、どうですかね」

「うちの婆《ばあ》ちゃん、結構、みますよ。人を見て、分かるらしいんです。九十二になるけど、呼んできましょうか」

あまり笑えない冗談を言い合い、午前一時過ぎまで酔えない酒を飲んだ挙げ句、貴子たちは、やがて銘々に席を立った。「お疲れさん」と掛け合う声が、暗い廊下に虚《むな》しく響いた。

ところが翌日、貴子と八十田、さらに隣接署からの応援刑事らは、それぞれの持ち場に戻るようにという指示を受けた。こんな段階にきて、本部を縮小するというのだ。貴子は驚き、上層部は何を考えているのかと苛立《いらだ》った。まだ、凶器が発見できていないではないか。目撃証言だって得られていない。このままでは、被害者たちが本当に浮かばれない。

「まあ、後は俺らが何とかするさ。俺らの全員が、田部井をクロだと踏んでるんだ」

島本は、柔和な表情に珍しくわずかな悔しさを滲ませて、貴子に「がんばるさ」と言ってくれた。命令は絶対だ。ここで、一人で悪あがきをしたところで、どうなるものでもないことくらいは、貴子だって百も承知している。

「あの――奥さん、お大事に」

結局、最後に出た言葉は、それだけだった。島本は「おう」と照れたように手を上げただけで、また、もわりと体臭を振りまいた。やっとこの臭《にお》いにも慣れてきたのに、それも報われなかったのかと思うと、貴子は余計にやり切れない気持ちになった。

6

【重要参考人は逮捕せず・「決定的な決め手に欠ける」】

～立川古物商殺人事件で・警視庁～

さる七月十七日に、立川市在住の古物商・真鍋実さん（四九）ら三人が殺害された事件で、警視庁は先月末から、真鍋さんの甥（三〇）を重要参考人とし、詳しい事情聴取を重ねてきたが、十七日、「逮捕する決定的な決め手に欠ける」として、身柄を拘束しないと発表した。

男性は、真鍋さんらが殺害された当日のアリバイがなく、現場に残されていた足跡など、犯人の身体的特徴とも共通しており、さらに、真鍋さんが商売で扱っていた高価な品を自宅アパートに持っていたなど、不審な点が数多く見られたことから、八月末から繰り返し事情を訊《き》かれていたもの。だが、男性は一貫して無実を主張していた。

真鍋さんらは、鈍器のようなもので頭を殴られ、また、全身を刃物で刺されていたが、現在までに、それらの凶器は発見されておらず、決定的な物的証拠に乏しいまま、現在に至っている。捜査本部は、今月から規模を縮小しているが、「絶対に諦めない」として、白紙に戻った形の事件を、今後も地道に捜査していく方針だという。

ＪＲ中央線の朝の下り電車は、ＯＬやサラリーマンよりも学生の姿の方が多く目立つ。ついこの間までは夏休みのせいもあって、ずいぶん空《す》いていた車内は、再び混雑を取り戻していた。気がつくと、周囲には秋の気配が漂っており、それは、学生たちの服装にもはっきりと現れていた。

「ひょっとして、クニちゃんじゃない？」

「あれ、わあ、久しぶり！」

ふいに、貴子の背後でそんな会話が交わされ始めた。新聞を折り畳み、ぼんやりと電車の中吊《なかづ》り広告を見上げながら、貴子は女子大生たちに違いないやりとりを聞いていた。やがて、彼女たちは高校時代の同級生だったらしいことが会話から分かってきた。

——偶然。たまたま。

そんなものが、世の中を動かしている。どうしてもため息が出る。苛立ちと虚しさとが、これから職場に向かおうとしている貴子の中に大きく広がっていった。結局、警察は田部井に負けたのだ。最後まで追い詰めることが出来なかった。勿論《もちろん》、これで捜査が終わるわけではない。捜査本部がどれほど縮小され、やがて解散されても、事件を追い続ける刑事が必ず残る。最後まで諦めない人間が、必ずいる。下手をすれば時効が成立する日までの十五年間を、この事件に費す刑事さえ出てくるかも知れないのだ。ふと、島本のことを思った。もしも島本が最後までこの事件を追うことになるとしたら、彼はほとんど定年間近になるだろう。その頃、もう五年も眠り続けているという彼の妻は、どうしているだろう。やはり眠り続けているのだろうか。何とも気の重くなる、切ない想像だった。

——でも、このままで済むはずがない。人を殺めてまで手に入れた仏像が、彼に天罰を下すだろう。田部井にだって、きっと罰が当たる。

気がつくと、恐ろしく非科学的なことを考えていた。電車が駅に着く度に、学生がたくさん降りていく。その都度もみくちゃにされながら、貴子はやっとの思いで吊革につかまった。その腕が、これまでになく焼けているのを改めて眺める。この日焼けこそが、この夏の記憶だ。せめて、この日焼けがさめないうちに事件が解決してくれることを、祈らないわけにいかなかった。走り始めた電車の窓からは、開き始めたススキの穂が見えた。

山背吹く

1

全身に寝汗をかいて目を覚ました。胸元を触ると、パジャマ代わりのTシャツはぐっしょりと濡《ぬ》れて冷たくなっている。額には髪がはりついて、呼吸さえ少し乱れていた。薄掛け布団《ぶとん》をはねのけて、ひんやりと冷たい空気を感じながら、音道貴子は深々とため息をつき、天井の木目を見上げた。どこか懐《なつ》かしさを感じさせる木の天井は、貴子の住まいとは違うものだ。今のマンションも、その前に住んでいた部屋も、天井はいつも白かった。

何かの夢を見ていたはずだが、目を覚ました途端に忘れてしまった。けれど、思い出す必要もない。この息苦しさと疲労感が、すべてを物語っている。何も、今日に始まったことではなかった。もう何日、こんな朝を迎えているだろう。

——それでも、朝が来る。

もしかしたらこのまま一生、心地良い眠りとは無縁のままかも知れない、爽《さわ》やかな朝など、もう二度と迎えることはないのかも知れないと思う。貴子は、ゆっくりと目を閉じた。

出来ることなら、このまま動きたくもなかった。だからといって、本当に寝ているわけにもいかない。寝汗をかいたお陰で、気持ちが悪くて仕方がなかったし、何しろ、ここは自分の家ではないのだ。貴子は再び目を開け、しばらくぼんやりと木の天井を見上げた後で、ようやくのろのろと起きあがり、部屋についているバスルームに向かった。全身が鉛のように重い。特に何を意識することもせず、こうして手足を動かせることの方が不思議な気がする。

簡単にシャワーを浴びて、ジーパンにポロシャツを着てフロントに下り、その横にある「従業員以外はご遠慮ください」というプレートの貼《は》られているドアを開けた。長い廊下に続いて、奥にもう一つドアがある。そこを通り抜けた先に、普通の家庭のダイニングルームがある。ちょうどテーブルに食器を並べていた真弓が、貴子を見て「あれ」と言った。

「早いじゃない、もう起きたの？」

貴子は柔らかく微笑《ほほえ》んで小さく頷《うなず》いた。真弓は、大したもんねと笑う。

「やっぱり、職業柄かしらね。何となく折り目正しいっていう感じ」

「そんなこと、ないわよ。毎日遊んでるだけで、疲れてないから」

「たまには、いいでしょう。こんなお休み、滅多にとれないんでしょう？」

しばらく会わないうちに、すっかりふくよかになった真弓は、笑うと二重顎《あご》になって、それが貴子の目には、彼女に刻まれた幸福の証《あかし》に見えた。まあね、と答えて、貴子は彼女の手伝いを始めた。箸《はし》を並べる程度のことなのに、真弓は「助かるわ」を連発する。

「いけない、そろそろ子どもたちを起こしてこなきゃ」

台所とダイニングとを忙しく往復しながら、壁に掛けられている時計を見上げて、真弓はばたばたと走っていく。貴子は、テーブルの中央にどんと置かれている大皿に盛られた生野菜や食パン、スクランブルエッグ、一リットルパックのままの牛乳などを眺めながら、六人分の食器を並べた。そんな程度の作業など、瞬《また》く間に終わってしまう。あとは何をすれば良いのか分からないから、仕方なくテーブルにつき、ぼんやりと頬杖《ほおづえ》をついていた。暇な朝。今日一日、どうやって過ごせば良いだろう。何をしていたら、少しでも早く夜が来るのだろうか。だが、夜になればなったで、またあの重苦しい眠りが待っているだけのことだ。

真弓が末っ子の男の子の手を引いて戻ってきた。昨日の夜は、貴子の背にもたれたり、首にしがみついてきたりしてさんざん甘えていたくせに、洋《よう》という名のその子は、貴子を見て少しばかり驚いた顔になり、はにかんだように母親にしがみついた。

「何、照れてんのよ。貴子お姉ちゃんでしょ。おはようは」

母親に促されても、洋は何も言わず、半ば怒ったような顔のままでテーブルにつく。昨日の朝もそうだった。寝起きの悪い子なのか、それとも一晩の眠りが前日の記憶を消し去ってしまうのか、貴子には分からない。だが真弓は、そんな息子の態度も意に介していない様子で、せっせと手を動かし続けている。

「まったくもう。後の二人は、本当に起きてこないんだから」

洋が一人で食事を始めると、真弓は再び他の子どもたちを起こしにいった。やがて、四年生の男の子と二年生の女の子が、それぞれにランドセルを持って、寝ぼけた顔で現れた。同時に、裏口の戸が開いて、真弓の夫が入ってくる。貴子を見て、彼は実にさり気ない表情で朝の挨拶《あいさつ》をした。

「風が、やんだね。今日は暑くなりそうだ」

結婚式の時に初めて見たときは、真弓はまた随分冴《さ》えない男を選んだものだと思ったものだが、こうして久しぶりに会ってみると、貴子たちよりも六歳年長の鳴島《なるしま》という男は、驚くほどに落ち着いて、恰幅《かっぷく》も良くなっており、いかにも頼もしい、温かみのある雰囲気になっていた。つまり、真弓は見る目があったということだ。

「今日は、何か予定があるの」

既に一仕事終えてきたらしい鳴島は、大きめのゴブレットに満たされた牛乳を一気に飲むと、旺盛《おうせい》な食欲を見せながら貴子を見る。貴子は、別にないと答えた。

「出かけるんなら、うちの車、使っていいから。退屈しない程度に、過ごしてよ」

「そうそう、どんどん勝手に使ってよね。あんまりお相手出来なくて、申し訳ないんだけど」

夫や子どもたちの食事の世話を焼きながら、申し訳なさそうに笑う真弓は、中学の頃は小柄でやせっぽちで、大きな瞳《ひとみ》ばかりがきょろきょろとよく動く、小鹿《こじか》のような雰囲気の少女だった。それが、今や丸い大きな目元以外は、あの頃とは別人のように見える落ち着きと貫禄《かんろく》だ。

「おばちゃん、いつまでいるの」

ふいに、さっきまで黙りこくっていた洋が、こちらを見て言った。その途端、鳴島が長い腕を伸ばして洋の頭をぽんと叩《たた》いた。

「お姉ちゃん、いつまで、いてくれるの、だろう」

洋は、わけが分からないという表情で、自分の両親を見比べている。貴子は、こんな子どもから見れば、自分も「おばちゃん」以外の何ものでもないのだろうと、少しばかり諦《あきら》めに似た気持ちになりながら、ただ微笑むより他になかった。

「ねえ、まだまだ、いるでしょう？」

今度は二年生の幸《さち》が小首を傾《かし》げて言う。

「あと何日くらいいる？」

「一週間？　十日？　僕らが夏休みになるまで、いる？」

四年生の大《だい》が追い打ちをかけるように口を開いた。揃《そろ》って一文字の名前をつけられている子どもたちは、それぞれに人なつこく、素直に育っていた。

旧友には会いたいと思いながら、夫に加えて三人もの子どものいる家庭に押しかけるのは、あまりにも煩《わずら》わしい気がして、これまで再三誘われても、貴子は真弓の婚家を訪ねたことがなかった。だが、真弓の方は忙しくて里帰りもままならない。その上、今年の春には旅館を全面改築したから、是非とも見に来て欲しいと重ねて言われて、この夏、貴子はようやくここを訪ねる決心をした。はからずも手に入れた休暇だったが、何をする気にもなれず、何を考えるのも嫌で、半ば逃げるような気持ちで、ここまで来たのだった。

「ねえ、ずっと、いていいよ。部屋なら一杯あるんだから」

「それはお客さんが泊まる部屋でしょう？」

「お客が一杯のときは、僕の部屋に泊めてあげるから」

「あ、幸のお部屋に泊まって。一緒に寝よう、ね？」

「ほら、喋《しゃべ》ってばっかりいないで、早く食べなさいよ」

こんな三人が自分の友人から生まれてきたのだと思うと、感慨にも似たものが湧《わ》いてくる。貴子は、自分も少しずつパンをかじりながら、戦争のような騒ぎの朝食風景を眺めていた。上の二人を学校に行かせたら、真弓はすぐに洋を保育園まで送りに行く。その頃には、鳴島は再び仕事に戻り、貴子は朝食の後片付けを受け持つことにしていた。それだけでも、どれほど助かるか分からないと、最初の日に真弓は嬉《うれ》しそうに笑った。

「すっかりお母さんになっちゃってるわね」

「そりゃあ、あんなのが三人もいればね。誰かしら必ず、病気か怪我《けが》をしてるっていう感じなのよね。下のチビちゃんは喘息《ぜんそく》だし、大と幸はアトピーなのね、もう、嫌んなるわよ」

「えらいもんねえ」

「仕方がないから、やってるの。自分で産んだ子だからね」

ため息をついて見せながらも、真弓の顔は満ち足りて見えた。

小さな旅館の若旦那《わかだんな》と結婚したばかりに、真弓の運命は随分変わったと思う。確か、中学の頃はアナウンサーになりたいと言って、高校時代にも、その夢は持ち続けていたはずなのに、どこでどう間違ったのか、貴子が短大を出る頃には、東京を離れて旅館の若女将《わかおかみ》になると言い出していた。嫁ぎ先は、宮城県の外れの方だと聞かされたときには、貴子の方が心細くなったくらいだ。

「退屈だったら仙台にでも出てみたら？」

保育園から戻ってきて、今度は家族中の布団を干し、洗濯機を回すと、真弓はほんの少しゆったりした表情になって、コーヒーを淹《い》れ始めた。

「大丈夫よ、気を遣わなくても。適当にやるから」

鳴島の両親は離れに住んでいて、いまだに女将である姑《しゅうとめ》が仕事のすべては切り盛りしている。とはいえ、若女将としては、チェックアウトした客を見送ることから始まって、今日の予約の確認や料理の打ち合わせ、出入りの業者の応対から客間の点検と、やらなければならないことが山ほどあるらしい。その傍らで、自分たちの住まいの掃除や洗濯といった主婦業が待っている。

「掃除くらいは、従業員にさせたっていいんだろうけど、やっぱりプライベートな空間に、よその人が入り込んでくるのって抵抗あるのよね。元々、こういう商売で育ってるわけでもないし。どこかで線を引いておきたいのよ」

結局、睡眠時間など、常に五、六時間が良いところだと言いながら、真弓は淹れたてのコーヒーを飲み、ほんのわずかな休息を楽しむ。その表情は、実に生き生きとして見えた。貴子は、半ば感心してそんな友人を眺め、一方で、普段の自分の生活のことを思った。当番の日はともかく、日勤の日は、貴子だってとうに忙しく働いているはずの時間だった。

2

「それにしても、よく取れたわねえ、こんなお休み」

真弓に言われて、貴子は自分もコーヒーを飲みながら、ただ曖昧《あいまい》に微笑んで見せただけだった。真弓は、こちらをうかがうように見てくる。

「まさか、辞めたわけじゃないんでしょう？」

貴子が「まさか」と、今度は前よりも少しはっきりと笑って見せて、真弓はようやく安心したように大きく頷いた。

「貴子が婦警さんを辞めるはずないとは思ったけどね。だけど、いつの間に刑事さんになったの？」

「もう、だいぶ前よ」

「私はてっきり、毎日ミニパトに乗ってるんだとばっかり思ってた。女の刑事さんなんて、少ないんじゃないの？」

刑事になったことも話していなかったのかと、貴子は少しばかり驚いた。そういえば、自分が結婚した頃までは、電話であれこれと近況報告をしあったりしていたものだが、お互いに日々の生活に追われているうち、いつの間にか盆暮れの挨拶程度のつき合いになってしまっていた。離婚したことさえ、葉書を出すときの名字が旧姓に戻ったことが報告代わりだったくらいだ。

生まれて初めて一人暮らしを始めて、心が空虚でならなかったときも、貴子は誰にも何の連絡もしなかった。当時の貴子は、自分を敗残者のように感じていたし、とてもではないが昔からの友人、しかも幸福な家庭生活を続けているような相手と連絡を取り合う気にはなれなかったのだ。だから、目の前の真弓にも、細かい話などは何一つしてはいない。

「やっぱり、大変な仕事なんでしょう？」

いつの間にかクッキーを出してきて、貴子にもそれを勧めながら、真弓は穏やかな表情でこちらを見ている。仕事の話は、したくなかった。考えたくも、思い出したくもない。貴子は、曖昧に首を傾げて見せただけで、黙って甘いクッキーをかじった。

「まあ、ここにいる間は、仕事のことは忘れて、のんびりするのがいいわね」

真弓は、短時間に五、六枚のクッキーを食べてしまうと、「さてと」と言って立ち上がる。貴子は慌《あわ》てて自分も立ち上がった。何か手伝わせて欲しいと言うと、真弓は困ったような笑顔になった。

「何も気を遣うことなんか、ないのよ。ねえ、お客様なんだから、本当に好きに過ごしてくれて、いいんだから」

「何もしないで泊めていただく方が、かえって気を遣うんだったら。ねえ、何でも言って、ね？」

じっとしていたくないのだ。ぼんやりしていたくない。放っておいて欲しい、一人にして欲しいと思いながら、どこか心細くてならないのだ。

「昨日だってこの辺を歩き回った程度だったでしょう？　もう少し足を伸ばして、あちこち行ってみればいいじゃないの」

「別に、景色を見に来たんじゃないもの。私は、真弓に会いにきたのよ。そうやって気分転換できれば、それでいいんだってば」

しつこいくらいに言うと、真弓は「それじゃあ」とようやく諦めた表情になって、小さくため息をついた。

「一回あてにされちゃうと、大変よ。適当に手を抜いて、遊びに行きたくなったら、さっさと行っちゃっていいんだからね」

念を押すように言われて、貴子は素直に頷いた。まるで、初めてアルバイトをする学生のような気分。そして、まず渡されたのは、山ほどのタオルだった。

「業者に出すと馬鹿《ばか》にならないの。だから、うちでは全部、自分のところで洗ってるのよ」

お絞りに使う白いハンドタオルをバイアス方向にきつく巻く方法を教わって、陽当たりの良い縁側で、貴子は黙々とタオルを巻き始めた。実に単純な作業ではあるが、何しろ枚数が多い。そう短時間で終わりそうにはなかった。ひたすら黙々とタオルを巻いていると、頭の中が空っぽになっていく。ふと、このまま一生が過ぎれば良いような気になった。これまでの生活をすべて捨て去り、時間の流れ方さえ異なる世界で、淡々と生活できたら。

――周り中知らない人ばかりの中で、こうやって、これまでとまるで関係のないことをして。

宮城県の松島は、多数の小島が浮かぶ湾を取り囲んでいる小さな町で、地名の通りに松の木が多く、伊達《だて》六十二万石の名残をとどめる古刹《こさつ》も多い。入り江は遠浅になっているために波はほとんどなく、行き交う漁船も普通のボートにモーターをつけただけの小さなものばかりだ。日本三景の一つに数えられる景色の至る所には牡蠣《かき》や海鞘《ほや》の養殖棚が並んで、特に昇る朝日は最高に美しいという。既に七月に入っていたが、貴子が着いた一昨日《おととい》などは、相当に冷たい風が吹いていて、東京の夏とはまるで違っていた。

こういう町で過ごす自分の一生というものを、貴子はぼんやりと考えてみた。何が出来るだろうか。土産物屋で働くか、または、旅館に雇ってもらうか——。

「どう、うまく出来てる？」

ぱたぱたとスリッパの音が近づいてきたかと思うと、廊下の角から真弓が丸い笑顔を出した。彼女は「よいしょ」と貴子の傍に座り込み、改めて貴子の巻いたお絞りを手に取って、うんうんと頷《うなず》く。

「うまいものじゃない」

「そう？」

「きっちり巻けてる。ゆるゆるだと、水を吸いすぎて困るのよ」

「握力だけは、自信あるもの」

巻き上がったタオルを手にとりながら、真弓はころころと笑った。この人は、母親なのだと、ふと思った。かつて同じ学校の制服を着て、同じ時を共有しているように感じていた友人は、既に三人の子の母となって、こんな穏やかな目で相手を見ることが出来る人になった。

「そうそう、貴子って、昔から細いくせに馬鹿力だったわよね。開かない瓶の蓋《ふた》とか開けるの、得意だった」

懐《なつ》かしそうに話す真弓の横顔を見て、貴子もタオルを巻く手を止めた。

「いつだっけ？　私の水筒の蓋が開かなかったときも、男子が『貸してみろよ』って言ったって、絶対に渡さなかったのよね。それで、飯田くんと大喧嘩《おおげんか》になったこと、あったじゃない？　後から先生にすごく叱《しか》られて」

「ああ、一年の林間学校。あの時は、ひどい目にあったわ。もう少しで夜のキャンプファイヤーに参加できないところだった」

すっかり忘れていた過去が、あまりにも鮮やかに蘇《よみがえ》ったことに自分でも驚きながら、貴子はあの頃のことを思った。

「大体、飯田くんになんか自分の水筒を触られたくないって言ったの、真弓よ」

「だって、嫌いだったのよ、あいつ。図体《ずうたい》ばかり大きくて、私のこと、黒ゴマとか言っちゃって」

そうそう、中学に入ったばかりの頃の真弓は、本当に小さくて、色が黒かった。それに比べて貴子の方は、あの頃からクラスの中でも長身の方で、逆に、その身長のことから男子にからかわれることが多かった。それから、すぐに赤面することも、当時の貴子には大きな悩みだった。肌が白いから赤面が目立つのだと思って、真弓のように色黒になりたいと真剣に望んだこともある。いったい、いつの頃から赤面などしなくなったのだろう。それだけ神経が図太くなったということなのだろうか。

「でも、飯田くんて、貴子のこと好きだったのよね」

「噂《うわさ》だけでしょ。私には分からなかったもの」

真弓はくすくすと笑いながら、「貴子はね、鈍感なのよ」と言い、旧友の名前をいくつか出して、彼らは貴子に憧《あこが》れていたのだと言った。本当は気づいていたこともある。だが、当時の貴子には「好き」という感情が、どうしてもよく分からなかった。第一、陰で友だちに噂され、好奇の目で見られるような、秘密めいたつき合いというものに、どうにも抵抗があった。それは、今でも変わらない。

「変わってないよね、貴子」

　気がつくと、真弓がこちらを見ている。

「私なんか、どこから見ても完璧《かんぺき》におばさんになっちゃったのに、貴子って、あの頃と同じ雰囲気。今でも制服が似合いそうだもんね」

　貴子は「やめてよ」と、思わず声を出して笑った。だが真弓は真剣な表情で「本当よ」と続けた。

「だって、余計なお肉だってついてないし、肌だって綺麗《きれい》じゃない？　それに、横顔とか、雰囲気。全然、変わってない」

「そんなことないわよ、ほら、笑うとこんな」

　貴子はわざと目元を細めて見せる。だが真弓は、そんなものは小皺《こじわ》のうちにも入らないと鼻を鳴らした。そして、肩をすくめてため息をつく。

「貴子はね、変わってない。いつでも、後から言うの」

「――何を？」

「大切なこと」

　それだけ言うと、真弓はかけ声とともに立ち上がった。

「お帳場にいるから、終わったら声をかけてね」

忙しげに去っていくスリッパの音を聞きながら、貴子は、自分が遠い目をしているのを感じた。

お絞りを巻き終えると、もう昼食だった。再び昔話に花を咲かせながら真弓と蕎麦《そば》を食べ、午後からは、今度は旅館のパンフレットを畳む作業を手伝った。これもタオル巻き同様に、手を動かせば良いだけの単純なもので、貴子にとっては、ことのほか楽しかった。

「そういうこと、好きだった？　じっとしてるのって嫌いなんだと思ってたけど」

時折、様子を見にくる真弓は、既に和服に着替えて、なかなか貫禄《かんろく》のある若女将《わかおかみ》に見えた。貴子自身、黙って手だけを動かすような仕事は好きではないと思っていた。いや、実際、やれと言われればやるが、自分からやりたいとは思わないはずなのだ。だが今は、こういう単純作業の方が気楽だった。何の危険もなく、感情の揺れもなく、一人で黙々と出来る仕事が嬉《うれ》しかった。

「そんなに根《こん》を詰めること、ないんだからね。それに、運動不足になっちゃうわよ」

「だったら、仲居さんのお手伝いでもしようかな。配膳《はいぜん》は無理でも、お布団《ふとん》を敷いたりするのなら、出来ると思うんだけど」

自分としては真面目《まじめ》に言ったつもりだったが、真弓はとんでもないと怒ったような顔になる。

「何考えてるのよ。いい？　貴子は、若女将の、私のお客様なのよ。そんなこと、させるわけに、いかないの！」

「でも、運動不足に——」

「だったら、明日あたり泳ぎにいったら？　ちょっと北の方に行ったら、いい海水浴場があるから」

「私、海で泳ぐのは——」

つい呟《つぶや》くと、真弓はわずかに苛立《いらだ》った表情になって、気兼ねも遠慮もいらないのだから、とにかくのんびりして欲しいのだと言った。そして、深々とため息をつきながら、じっとこちらを見る。貴子は無意識のうちに、目をそらしていた。

何をしても良いと言われ、時間は有り余っている——そんな日々に、かつてどれほど憧れたことだろう。だが実際に、そういう機会を与えられても、貴子には何をどうすることも出来なかった。結局、貴子は一つの用事が終わる度に真弓の姿を探し、新たな用を言いつけられることで、ようやく一日を過ごした。

3

翌日も、貴子は同様の過ごし方をした。宿の中を歩き回るうちに、建物の間取りも随分分かってきて、従業員の顔も覚え始めた。

「この分じゃ、バイト料でも出さなきゃならないわね」

自分から雑用を探しまわっては、身軽に動く貴子に向かって、真弓は呆《あき》れたような顔をする。何度すすめられても、どこへも出かけようとしない貴子を不思議に思っていることは確かだろうと思う。それでも、敢《あ》えて何も聞かずにいてくれることが、今の貴子には有り難かった。

「おばちゃん、いつまでいるの？」

「そうねえ、いつまでいようかな」

「ずっといれば？　幸のお部屋で、一緒にすめば？」

「そうしようかなあ」

夕方になってから、貴子は幸と洋を連れて散歩に出た。二人の子どもと手を繋《つな》ぎ、海沿いの遊歩道をのんびりと歩く。心地良い海風に吹かれながら、小さなてのひらの感触を味わっていると、こういう子の母親でも不思議はない年齢なのだとつくづく思う。それなのに、自分はあの東京で、毎日のように事件を追いかけて、あとは一人の部屋に帰るだけの生活を、一体いつまで続けるのだろう。

「ガンちゃん、ガンちゃん！」

通りかかった観光ホテルの裏口から、ふいにそんな声が聞こえた。何気なく目を向けると、ホテルの裏口近くに山のような大男が立っており、小さな少年が二人、駆け寄っているところだった。

「ねえ、いいじゃないか！」

「駄目だって。まだ仕事が、残ってるんだから」

「ケチ！」

「明日、な。明日」

「本当だな、約束するな」

「するする、約束な」

その男を、貴子は昨日も一昨日も、真弓の旅館の勝手口や、旅館の前の道で見かけていた。滅多に見かけないほどの大男だったから、嫌でも覚えてしまう。こうして後ろから眺めても、背中の肉が大きく丸く盛り上がり、半袖《はんそで》から出ている腕やジャージの下の足も、見事なほどの太さだ。いつでも白いTシャツとジャージのズボンという服装で、ゴム草履を履いて、坊主頭《ぼうず》のその男は、見かける度にビールや日本酒のケースを運んでいた。酒屋の店員か何かなのだろうとは思うが、とにかくその大きさは印象的だった。

「ガンちゃんだ！」

貴子の手をきつく握っていた洋が声を上げた。その声が聞こえたのか、まとわりついてくる子どもたちからようやく離れて、男はこちらを振り向いた。小さな目に小さな口。太い眉《まゆ》。丸い鼻。いや、顔が大きいから、目鼻が小さく見えるのだ。やや愚鈍に見えなくもないが、子どもがそのまま大きくなったようにも見える顔だった。

「よう、洋か。何してるんだ」

「おばちゃんと、お散歩」

洋が答えると、男は初めてこちらを見て、少しばかり怪訝《けげん》そうな表情になったが、

「ふうん」とだけ言い残すと、のそのそと歩いていってしまった。洋と幸が背後から

「ばいばーい」と声をかける。男は振り向かずに、ただ太い手だけを振った。

「ああ、ガンちゃんね。あの男は、子どもに好かれるんだよな」

夕食の席には真弓はいなかった。代わって子どもたちの世話を焼きながら、鳴島が

ゆっくりと頷いた。

「あんなに大きいと、怖いような気がするけど、子どもには優しいんですか」

「あれ、貴子ちゃんでも怖いと思うことなんか、あるの。強い強い、女刑事さんが」

鳴島は、いかにも驚いた表情になって、声を出して笑った。貴子はもちろん、と答えて自分も笑おうとした。だが、一瞬のうちに顔が強《こわ》ばり、何の言葉も出なかった。強くなんかない、怖いに決まってるじゃないの、あんたなんかに私の仕事の何が分かるのと、怒りにも似た感情が急速に膨れ上がりそうになったのだ。友人の夫を相手に、そんな感情をぶつけるわけにはいかない。第一、その思いは、自分でも意外な程に急激に突き上げてきたものだった。

「まあ、のしかかられたら、それだけで潰《つぶ》されそうだもんな。何しろ奴《やつ》は、相撲取りだったんだから」

鳴島の、少しばかり慌《あわ》てたような声が聞こえた。無意識のうちに唇を嚙《か》みしめ、食卓に目を落としていた貴子は、相撲取りという一言に、つい顔を上げた。

「あれでも十両までいったんだよ。中学の時にスカウトされて、もう、当時は地元のヒーローだったんだ」

今年で三十七、八になるという通称ガンちゃんは、本名は岩田といい、幼い頃から人一倍体格が良く、地元の相撲大会などで頭角をあらわしていたのだという。中学に入る頃からスカウトが通ってくるようになり、当初は力士になるつもりはないと言い張っていたものの、両親の奨《すす》めもあって、中学卒業と同時に上京した。

「あの時は、大変な騒ぎだったよ。皆で見送りにいってなあ、万歳三唱なんかしちゃってさ」

一日も早くテレビで取り組みが観《み》られるようにと、町中一丸となって応援した。地元後援会を作ったり、ファンクラブを作ろうという動きまであったという話を、鳴島は半ば懐《なつ》かしそうに、楽しそうに話して聞かせた。

「俺なんかだって、あいつのことは小学校に入る前から知ってたから、方々で自慢したり、してたもんだ。俺の知り合いから、そのうち横綱がでるぞ、なんてな」

やがて、ガンちゃんの両親が番付表を持って近所を回るようになった。細かくてまるで読めないような、番付表の一番隅っこにガンちゃんの名前があった。当時の四股《しこ》名《な》は「岩田」のままだった。序ノ口から序二段、三段目へと、「岩田」は順調に昇進した。身体《からだ》も少しずつ大きくなり、髪も伸びて、どこから見ても立派な力士になっていくガンちゃんの姿に、十両昇進の暁には地元から化粧回しを寄贈しようと、募金運動までが始まった。そして「岩田」は幕下に昇進したのを機に、「大乃《おおの》岩《いわ》」と四股名を改めた。

「何年くらい前の話ですか？」

父が相撲好きだったから、貴子も幼い頃は、テレビの相撲中継をよく見た記憶がある。当時は下町に住んでいたこともあって、国技館へも一、二度連れていってもらった。だが、貴子の記憶には「大乃岩」という力士の名前はない。鳴島は、二十年近くも前のことだからと頷《うなず》き、それから深々とため息をついた。

「まあ、誰にだって一度や二度の挫《ざ》折《せつ》くらい、つきものだけど、あいつの場合は、特に悲惨だったな」

「――悲惨」

「やっと十両に昇進したと思ったら、その直後に身体を壊して、その後はもう、それこそ坂道を転げ落ちるようなもんだった」

Tシャツにジャージ姿の、大きな肉体を持て余すように歩いていた男の姿を思い浮かべながら、貴子は何となく嫌な話になってきたと思った。

「怪我《けが》、ですか？」

「最初は、膵臓《すいぞう》だかどこだか、内臓だったと思うけどね。やっと少し良くなったら、今度は膝《ひざ》を傷《いた》めて、それでもう、駄目だったんだ」

鳴島は、もう一度ため息をつき、それから思い出したように、食事を終えたままぼんやりしている下の二人の子どもたちを風呂《ふろ》に入れるからと席を立った。

「お兄ちゃんの真似《まね》をしなさいって言えば、悪いことでも何でも真似するしさ。まだまだ、駄目なんだ」

苦笑しながら、ばたばたと浴室に向かう父と子を目で追って、貴子は食器を洗い始めた。

――病気と怪我で。

スポーツ選手にとっては致命的だったろう。だが、そんな人は少なくない。華やかな引退式を行い、皆に惜しまれながらステージを去るスポーツ選手など、ほんのわずかではないか。鳴島のため息は、身びいきというか、あまりにも大げさな気がした。

「チビたちの前で、こういう話はしたくないからさ」

ところが、風呂上がりの子どもたちを寝かしつけた後で、鳴島は今度は焼酎《しょうちゅう》を取り出しながら、再び口を開いた。食堂から居間に場所をかえて、貴子は改めて友人の夫と向かい合った。

「あいつはね、人を殺してるんだ」

乾杯の仕草の後で、突然そう切り出されて、貴子は思わず目をむいた。鳴島は、ウーロンハイを一口飲むと、「そうなんだ」と一人で頷く。

十両昇進直後に内臓を壊した「大乃岩」のその後の力士人生は、長くは続かなかった。限界まで体重を増やし、巡業と稽古《けいこ》に明け暮れていた肉体は、一つバランスを崩すと意外な程に脆《もろ》いものらしい。その後、何度再起をかけても、他の部分が悪くなったり、または怪我をしたりで、「大乃岩」はまともに土俵にも上がれなくなったという。当然のことながら、番付は瞬《また》く間に落ち、ついに序二段まで落ちたとき、親方が廃業をすすめた。

「──それで、自棄《やけ》になって？」

「まあ、そんなところだろうな」

「誰を殺したんですか」

「女」

「女？」

現役時代からつき合っていた年上のホステスを刺し殺したのだという。廃業直後は、新しい人生を始めると言って、板前の修業に出たりしていたというが、やがて生活が荒れ、ヒモのような生活に落ちていった。そしてある晩、帰りの遅かったホステスと口論になり、その挙げ句、殺してしまったということらしかった。当時、ガンちゃんは二十歳を過ぎたばかりで、元十両の殺人と、新聞にも随分書き立てられた。

「ショックだったなあ。何たって俺たちの希望の星、太ったヒーローだったんだから。それが、瞬く間に落ちていって、ついに人殺しまでしちまった」

彼の家族はもちろんだが、特に衝撃を受けたのが、後援会長を買って出ていた酒屋の主人だった。商店会の役員や民生委員など、あらゆる肩書きを持っていた男は、「可哀相《かわいそう》に」と言って男泣きに泣いたという。そして、きれいさっぱりと罪を償ったら、きっと自分が引き取るからと申し出た。

「今時、そんな人がいるんですか」

貴子は思わず身を乗り出して、旨《うま》そうにウーロンハイを飲む友人の夫を見つめた。彼は、赤くなった顔で、いかにも得意げに頷いた。

「何しろ、土俵を降りれば何一つ出来ることなんか、ありゃしない奴なんだから。おまけに人を殺してるとなったら、どこへ行ったたって、まともな職になんかつけやしないだろう？　あそこの旦那《だんな》は、それを心配したんだろうな」

これ以上、自棄を起こさせてはまずい、ここで誰もが見放しては、岩田は生きてはいかれないだろうと、後援会長は言ったそうだ。その頃には、漁師だった彼の父親は漁船の事故で亡《な》くなっており、姉はよそに嫁いでいて、一人残された母親は、ほとんど家に閉じこもったままになっていた。

「でも、そういう人が町に帰ってくることについて、ご近所で反対とか、なかったんですか」

他人のことなど、どうだって良いではないかと思う。こんな場所で、妙な職業意識は働かせたくない。それでも、自分が関わっている事件とはわけが違う。これは純粋な好奇心から訊《たず》ねているのだと自分に言い聞かせながら、貴子は鳴島の話を聞いた。

「そりゃあ、あるには、あったさ。物騒だとか、地元の恥だとか、昔は応援してたのに、色んなことを言う連中がいたね」

東京のような街でさえ、家族に殺人者が出れば、その一家は離散し、煙のように消えてしまうことが多いのだ。それが、こんな小さな町で、しかも目立つ存在だった人間が、容易に受け入れられるはずがない。

「だけど、酒屋の旦那がね、すべての責任は自分が負うからって、近所中に挨拶《あいさつ》して回ったんだ。もう、必死でね。俺なんかの目から見ても、何もそこまでしなくたってっていう感じだったよ」

そして五、六年後、ガンちゃんは仮出所して帰ってきた。約束通りに、元後援会長の酒屋の主人は、彼の身元を引き受けた。最初の頃は人目につかないように、倉庫内の仕事をさせていたという。何しろあの体格で、人一倍力はある。その上皮肉なことに、長年の獄中生活が、彼に健康を取り戻させていた。それでも、朝晩の通勤の折に町を通れば、嫌でも目立つ。その都度、町の人たちは目を伏せ、顔を背けた。あからさまに嫌がらせをしたり、わざと挑発するような真似をする者もいた。だがガンちゃんは、黙々と働いた。すっかり老《ふ》け込んでしまった母と暮らす家と職場だけを行き来して、日々を過ごした。

「まったく、よくやったと思うよ。酒屋の旦那も偉かったけど、本人が、本当によくやった」

一年が過ぎ、二年が過ぎて、町の人々はようやくガンちゃんに奇異の目を向けなくなった。彼を見かけても驚いたり慌てたりすることはなくなり、やがて、幼い頃から彼を知っている人々が、少しずつ声をかけてやるようにもなった。

「そのうち、旦那は奴に車の免許を取らせてさ、少しずつ、配達なんかもさせるようになったんだ」

大きくて丸い身体のガンちゃんは、昔の福笑いのような顔で、どこから見ても好人物に見えた。酒も煙草《たばこ》もやらず、盛り場をうろつくこともなく、年老いた母と二人きりで暮らしている彼を見るうち、周囲の人々はやがて、彼が今でも罪を償い続けているのだと悟っていったらしい。

「本人から聞いた話じゃないけど、奴は、殺しちまった相手の女に、心底惚《ほ》れてたらしいんだな。それが、自分の将来の夢は断たれて、ヒモみたいになって、おまけに相手は、毎晩のように酔って帰ってくる。もう、やり切れなかったんだろう」

小山のような姿でのそのそと歩いていたあの男に、そんな過去があったのかと、改めて感じていた。罪を犯した人と接することは、貴子にとっては日常の一こまになっている。だが、罪を償い、再び世間に溶け込もうとする人の姿というのは、初めて見た気がした。

「そういう人も、いるんですね」

「まあ、色んな人がいるよ、この世の中。うちあたりに泊まりに来るお客さんだって、そりゃあ、色んな人がいるからなあ」

それから鳴島は、良い調子でウーロンハイを飲みながら、旅館に来る様々な宿泊客の話を聞かせ始めた。まだ仕事の終わらない妻に代わって、それなりに気を遣ってくれているのだろうと思うと、貴子はつくづく、真弓は良い相手と結婚したものだと思った。

4

松島は小さな町だが、遊覧船あり、名所旧跡あり、伊達政宗《だてまさむね》の歴史館やオルゴール博物館、藤田喬平《きょうへい》ガラス美術館ありと、その気になればそれなりに見る場所のある町で、海沿いを走る国道四十五号線は、大型の観光バスや自家用車で常に渋滞している。だが、貴子はそれらのどこにも行くことなく、翌日も、翌々日も、旅館の仕事を手伝って過ごした。作業が単純であればあるほど、気持ちが楽になると分かってからは、草むしりやダイレクトメールの切手貼《は》りのようなことまでしていた。そして夕方には子どもたちと散歩に行く。その途中で、貴子は何回かガンちゃんを見かけた。

かつては土俵に上ったこともあり、愛人を殺したという男は、いつも同じ服装で、時には首からタオルをさげ、常に額や頬から汗を滴《したた》らせながら働いていた。誰かに声をかけられなければ、一生でも口を開きそうにないような表情で働く姿は、確かに大きな修行僧のように見えなくもない。

身体が大きな分、背負っている悲しみも大きいのだろうかと、ふと思う。愛する人を殺した瞬間のことを、あの男は覚えているのだろうかと考えながら、貴子はガンちゃんを眺めた。愛する誰かを殺《あや》めた者の心の傷のことなど、これまでの貴子は、ほとんど考えたこともなかった。

「もう、少しでいいから息抜きしてよ、ね？　ここだって、満更悪い町じゃないんだから、ちょっとは観光してみてよ」

それから一週間も過ぎた頃、真弓にくどいほど言われて、貴子は仕方なく、午後から水族館に行ってみた。JR仙石線の松島海岸駅傍《そば》にあるマリンピアという水族館にはラッコやイロワケイルカの他に、マンボウやスナメリがいて、貴子は随分長い時間を、それらの水槽の前で過ごした。

――こうしていても、時間は流れる。

いったい、もう何日くらい仕事を休んでいるだろうか。六月の末からだから、かれこれ半月以上も職場から遠ざかっていることになる。これほど長い休暇は、警察官になって以来、初めてのことだった。

――後のことは心配するな。ゆっくり休め。

水族館の生物たちを眺めながら、ふと、ウツボと名づけた主任の警部補が思い出された。日頃、一緒に仕事をしている仲間たちも、無言のままで頷いていた。彼らの目に、あの時の貴子は、どんな風に映っていたことだろう。

まったく、六月は思い出したくもない一カ月だった。梅雨に入って、鬱陶《うっとう》しい日が続いて、そして最後に、貴子は生まれて初めての恐怖というものを味わった。いや、恐怖などという一言では容易に片づけられない。屈辱と忍耐と混乱と——すべてがない交ぜになった経験だった。お陰で、今年こそはとそれなりに意気込んでいた昇進試験も受け損ない、実に久しぶりに芽生えた、脈打つような切ない思いまでも、今は負担に感じられる有り様だ。それまでの記憶のすべて、人生の意味のすべてが自分からはぎ取られたような感覚の後に残ったのは、拭《ぬぐ》い難い絶望感と、重苦しく虚《うつ》ろな無力感だけだった。

誰のことも信じられない。家族の顔も見たくない。生きている意味が分からない——こんな孤独感は、生まれて初めてだった。夜毎《よごと》の悪夢も、時折のめまいも、すべてはそれが原因に違いなかった。だが、どうすればこんな状態から抜け出せるのかが分からないのだ。だからこそ、貴子は思い切って旅に出た。そうでもしなければ、底なしの泥沼に落ちていくような気がしたからだ。

今日で既に十日以上、貴子は特に何もしないまま、この町で過ごしている。気分は大して変わらない。離婚を決意した前後だって、これほどまでの孤独と不安に苛《さいな》まれたことはなかった。とにかく夢中で働いて、時が流れれば傷は癒《い》えると信じていたし、事実、その通りになった。だが今回は、働く気力さえ湧《わ》いてこないのだ。

厚いガラスに隔てられた世界でふわふわと漂うように生きているマンボウを眺めているうち、自分自身も深い海の底に沈んでいるような気分になりながら、結局、二、三時間もぼんやりと過ごして、貴子は水族館を後にした。

――駄目なんだろうか。

もう、以前の自分には戻れないのだろうかと思う。原因をあれこれと考えて、誰かの責任にするエネルギーすら、湧いてはこない有り様では。

駅前まで戻ってくると、小さな広場に数台のパトカーが止まっていた。それどころか、機動隊の大型車両までが止まっていて、辺りには制服の警察官が溢《あふ》れている。その物々しい雰囲気は、小さな観光地にはまるで似つかわしくなかった。付近の住民たちまでが方々の軒先に立って、それらの様子を見ている。一見して、ただごとではなかった。泥棒が入ったとか、喧嘩沙汰《けんかざた》が起きたとか、そんな類《たぐい》の事件で、これほどの警察官が集められるはずがない。

――関係ない。警官なんか、見たくもない。

どこかに向かって吸い寄せられるように歩いていく野次馬たちの流れに逆らって、貴子は俯《うつむ》きがちに宿へ向かった。国道が大きくクランクしている場所まで戻ってくると、角にある笹蒲鉾《ささかまぼこ》店の駐車場にも、やはりパトカーが止まっている。覆面の車両も混ざって、私服警官らしい人々が慌《あわ》ただしく動き回っていた。貴子は、彼らを避けるようにして、まるで逃げるように歩いた。暑さのせいばかりとは思えないほど、額から汗が滲《にじ》んでくる。動悸《どうき》がして、息が苦しかった。

ようやく宿までたどり着き、裏口に回ったところで、飛び出してきた真弓と鉢合わせになった。とっさに笑って見せようと、貴子は中途半端《はんぱ》に口を開いた。

「あ――」

「大変、大変なの！」

ところが、既に和服に着替えている彼女が、目を大きく見開いたままでしがみついてきた。

「――どうしたのよ。何、慌ててるの」

だが真弓は、こちらをまともに見ようともせず、真っ白になった顔で視線を宙に漂わす。

「保育園に――」

「保育園？　保育園が、どうしたの」

「何だかよく分からないんだけど、誰かが押し入って――」

つい今し方目にした物々しい風景が蘇《よみがえ》った。貴子は真弓の腕を摑《つか》み、それで、どうしたのよと繰り返した。

「――人質をとって、立てこもってるんだって」

「人質って――」

「それが、うちの洋なんだって！」

真弓は、よろけるようにして走り始めた。貴子はしばらくの間、呆然《ぼうぜん》とその後ろ姿を眺めた。胸が苦しい。めまいがしそうだった。

真弓が走っていく。和服の裾《すそ》を翻《ひるがえ》して、埃《ほこり》っぽい風景の中に、白い足袋だけが鮮やかに見える。

――何てこと。

思考がいっぺんに停止した気がした。何か考えなければならないと思う。その一方では、とにかく走って逃げたい衝動が突き上げてきそうだ。真弓の足袋が遠ざかる。二重顎《あご》の、柔らかな笑顔の似合う顔が、あんなに血の気を失って、ひきつっていた。保育園。人質。洋が――。

気がついたときには走り出していた。逃げたい、やめてと心の中で叫びながら、真弓の色無地がどんどん近付いてくる。ようやく手の届く位置まで追いつくと、貴子は真弓の肩を叩《たた》いた。草履の音をさせながら走っていた真弓は、振り向きもせず、息を弾ませながら走り続ける。

「間違いないの？　本当に洋くんなの？」

「分からない！　分からないけど——」

真弓の声は切れ切れで、いかにも苦しそうだった。貴子は、真弓の肩に置いた手に力を込めて「落ち着いて！」と大きな声を出した。自分でも驚くほど大きな、はっきりとした声だった。ようやく立ち止まった真弓は、髪をほつれさせ、息を乱したまま、丸い大きな目をさらに見開いて、すがるようにこちらを見る。貴子は、その目を正面からのぞき込んだ。

「もう警察が到着してる。現場は完全に包囲してるわ。落ち着いて、ね」

今にも泣き出しそうな真弓に、噛《か》んで含めるようにゆっくりと言った。彼女は何度も生唾《なまつば》を飲み下しながら、必死で頷《うなず》こうとしているらしい。

「とにかく、本当に洋ちゃんが人質になってるのかどうかを確かめること。下手に騒いで、かえって犯人を興奮させちゃまずいわ。だから、大声なんか出したら駄目。絶対。分かるわね？」

今度は並んで歩き始めると、貴子は真弓から目を離さずに言った。真弓は何度も細かく頷きながら、それでも一点を見つめている。

たった今帰ってきた道を逆にたどり、途中で国道を右に折れる。大通りから一本それれば、そこには慎《つつ》ましやかな日常を営む普通の民家が立ち並んでいた。細く入り組んだ路地を何度も曲がって、どこの町とも変わらない風景の奥に進みながら、貴子は真弓の手をきつく握っていた。いや、真弓の方が握っているのかも知れない。とにかく、冷たく乾いた感触が、貴子の頭を冷やしてくれている。

やがて、一つの曲がり角に制服警察官の姿が見えた。貴子たちが近づいていくと、さっと動いて道を塞《ふさ》ごうとする。

「今ね、この道は――」

「関係者です」

貴子が短く答えると、貴子と同年代に見える警察官は、陽に焼けた顔で、半ば不思議そうにこちらを見る。

「子どもが、人質にとられてるんです」

貴子は重ねて言った。すると、相手は急に慌てた顔になり、貴子たちを通してくれた。貴子は真弓を促し、再び歩き始めた。これだけ細い路地がつながっているから、警察の車両などは容易に入り込むことが出来ないのだろう。その代わりに、にわかに警察官の数が増えて、その先に、大きな人だかりが出来ていた。

「あ、洋ちゃんのお母さん！」

こちらを見て、人混みの中から中年の女が走り出てきた。そして、真弓にすがりつくなり、泣き崩れている。

「ごめんなさい、本当にごめんなさいねえ。もう、咄嗟《とっさ》のことで、何が何だか分からなくて」

泣き崩れる女の口から、そんな言葉が聞き取れた。恐らく保育士だろうと思いながら、貴子は彼女たちを見つめていた。

「洋は、洋は？」

「まだ――中なのよ。中に、いるの」

「他の子たちは？」

「皆、外に出たの。犯人がね、たまたまお砂場にいた洋ちゃんを抱きかかえて、包丁振り回して――」

「包丁！」

真弓の全身が硬直するのが、すぐ傍にいる貴子には強く伝わってきた。精一杯に立っているが、下手をすれば失神でもしかねないほど、彼女の顔面は蒼白《そうはく》になり、手足は細かく震えている。今日、鳴島は父親と一緒に朝から仙台に行っている。義母は、旅館の仕事があるのだろう。もはや、真弓は、保育士の話も満足に耳に入っていない様子だった。
――私が守らなきゃならない。
思わず彼女の肩を抱き寄せながら、貴子は無意識のうちに、自分に言い聞かせてい
た。柔らかくふくよかな真弓の身体《からだ》は、予想した通りに硬く強《こわ》ばっていて、隣の貴子
の存在さえ、忘れ果てているように見えた。
「――どうしよう、あの子、発作が起きたら」
呟《つぶや》くように、真弓が言った。それから、はっと我に返ったように、貴子の腕を振り
払い、猛然と人混みの中に分け入っていく。貴子は慌てて後を追った。
「鳴島です！　鳴島洋の母親です！」
悲鳴のような声を張り上げ、人々に振り向かれながら、真弓は保育園の門まで歩み
寄っていく。
「あの子、喘息《ぜんそく》なんです！　緊張すると、発作が起きるかも知れないんです！」
素早く近づいてきた私服の刑事が、慌てたように真弓の腕を摑み、急いで別の場所
へ連れていこうとする。だが真弓は、その刑事さえ突き飛ばしそうな勢いで、さらに

声を張り上げた。

「母親が傍にいなくて、どうするんですかっ！」

真弓の唇は激しく震え、嗚咽《おえつ》が洩《も》れそうになっていた。貴子は、そんな真弓の肩を再び抱き寄せ、困惑した表情の刑事に黙礼をした。

「身内の者です。どういう状況か、説明してください」

「ですから、ここじゃあ、あれなんで、こっちに来てもらえませんか」

だが、真弓は激しく頭を振り、堅く閉ざされている保育園の門扉《もんぴ》にしがみついている。四十前後に見える刑事は、わずかに困惑した表情になり、ここにいては人質の救出活動に支障が出るのだと言った。背後では、警官が野次馬を遠ざけている声がする。振り向くと、機動隊員が一列になって、小走りにこちらに向かってくるところだった。人垣が出来て、恐怖と好奇心に夢中になった人々の顔が連なっている。夕方に向かう陽射《ひざ》しの中で、すべては陽炎《かげろう》のように見えた。貴子は軽いめまいを覚え、時間の流れが逆流するような錯覚にさえ陥りそうになった。

「事件の発生は、何時なんですか」

真弓の身体から手を離さないように気を配りながら、貴子は中年の刑事に話しかけた。刑事は、わずかにうるさそうな顔をしながら、二時五十分だと答えた。貴子は素早く腕時計をのぞき込み、小さく舌打ちをした。四時半を回っている。つまり、既に一時間半以上も過ぎているということだ。よその警察のすることだから文句は言えないが、いかにも対応が遅いという気がする。

「説得活動か何かは、行っているんですか」

続けて質問すると、今度は刑事はあからさまに不愉快そうな表情になった。ざっと見回した限りでも、スピーカーを持っているような人の姿も見あたらない。

「さっきまでね、こっちからも色々話しかけてたんですわ。だけど、相手も相当興奮しとるんでね」

「犯人の身元は、分かってるんでしょうか」

「あんた、何なんですか」

「人質の身内の者だと、申し上げたでしょう」

「それは分かりましたけどね、ここは警察に任せて——」

「姿を見ている人は大勢、いるんでしょう？　どういう男なのか、分かってるんでしょう？」

畳みかけるように質問する間に、真弓が消え入りそうな声で「誰が、こんなことを」とうめくように呟いた。すると、背後の人垣の中から「分かってる」という返事が聞こえた。貴子は、真弓の手を引いたまま人垣の方に近づいて、相手も分からないまま、「どんな人なんです」と声をかけた。野次馬の中程にいた、作業服を着た男が「ああ」と声を出した。

「ここに入るところを見かけたんだ。ありゃあ、柳田んとこの、倅《せがれ》だろう」

「柳田っていったら、芳夫か？　前に、シャブで捕まった奴《やつ》じゃないの？」

他の誰かが言う。貴子のすぐ目の前にいた漁師のおカミさん風の女が「芳夫だわ」と、驚いた顔で激しく頷いた。犯人は覚醒剤《かくせいざい》中毒者。だとすると、何をするか分からない。人質はますます危険になる。警察は、どういう方針を立てているのだろうか。貴子の中で、目まぐるしく様々な考えが駆け巡った。とにかく分かっていることは、一刻も早く人質を、洋を救い出さなければならないということだ。いや、今の時点でだって、どうなっているか分からない。

——どうすればいい。私に、何が出来る。

じりじりとした焦燥感が、胸の奥底から染《し》み出してきた。

「お願い、助けてください！　洋を、息子を！」

ついに耐えきれなくなったように、真弓が泣き崩れた。

「とにかく、息子さんの安全を一番に考えてますから」

困惑した表情の刑事が、懸命に声をかけている。貴子が見上げると、彼はいかにも苦渋に満ちた表情で、深々とため息をついた。

5

都会よりもよほど広く大きな空を、太陽は音もなく、西に滑り落ちようとしていた。この分だと、夜になるのを待って、闇《やみ》に紛れて救出作戦に出るつもりかも知れないと、貴子は真弓を抱きかかえながら考えた。冷静に考えれば、それが一番の方法だということは分かる。だが、身内の者にしてみれば、一分一秒でも早く、助け出してもらいたいのだ。

——私の時も。

ふと、そんな思いが頭を過《よ》ぎった。これまで、まったく考えもしなかったことだ。

貴子がこんな休暇を与えられた原因は、貴子自身が、ある事件の人質として、一週間も監禁されたことによる。極限に近い緊張を強いられ、何をされるか分からない恐怖と戦いながら、日増しに疲労し、追い詰められるうち、それまでの価値観も、自分にとっての正義も、何もかもが分からなくなった。そして、ようやく解放されたときには、周囲のすべてが自分とは無縁の、これまでとはまったく別の存在になってしまっていた。文字通り、呆《ほう》けたような状態になっていたのだ。

「真弓、真弓！」

辺りが夕焼けに包まれ始めた頃、鳴島が駆けつけてきた。真弓は力なく顔を上げ、今度は絞り出すような声で泣き始めた。貴子は、彼女を夫の腕に渡すと、野次馬の最前列に立って様子を眺めた。

――私の時も。

自分が限界に向かっている間、貴子を探し続けていた人たちがいた。場所が特定できた後も、突入する機会をうかがいながら、焦《あせ》りと苛立《いらだ》ちで、やはり生命《いのち》を削るような思いの人たちがいた――そんなことを、貴子はすっかり忘れていた。今、保育園の中にいるのは、貴子よりもよほど幼い子どもではないか。その子が、あの時の自分と同じ思いをしている。見知らぬ男に刃物を突きつけられ、何も分からないまま、恐怖を味わっている。

――だけど、私に何が出来る。

祈ること？　そんなものは、家族に任せておけば良い。もっと具体的に、何かの行動は起こせないものか。貴子は、今度こそ本当に苛立ち、唇を嚙んだ。これが、東京でのことだったら。今が仕事中だったら——。

そこまで考えたとき、がらがら、と耳障《みみざわ》りな音が聞こえた。大きな丸い人影が、まるでためらうことなく保育園の門扉を押し開けている。

「おいっ、何をするんだ!」

警官が駆け寄って、男を押しとどめようとしていた。だが、その男は「おうい!」と大声を張り上げながら、既にジャージの足と、その巨体を保育園の敷地内に踏み入れようとしていた。

「危険だ、やめなさい!」

振り返ったガンちゃんは、大きな腹を突き出すようにして、「おまわりさん」と言った。

「俺、知り合いですから。俺に、話させてください」

その大きさだけで、相手を威圧する程のガンちゃんに言われて、警官も思わずひるんだ様子だった。その間にも、ガンちゃんは「おうい、よしおぉ!」と大声を張り上げている。

「よしおぉ、いるんだろう? 俺だあ、岩田だぁ」

周囲も固唾《かたず》を飲んでガンちゃんを見守っている。ガンちゃんは、「そっち、行くぞう」と言いながら、ゆっくり、ゆっくりと歩き始めた。貴子は、あの大きな人影に隠れて、自分も一緒に中へ入れないものかと思った。だが、既にガンちゃんは数メートルも保育園内に入っている。もしも犯人がこちらの様子を窺《うかが》っていたら、かえって相手を興奮させるかも知れなかった。

「どこだよう、おうい、よしおぉ。返事しろう！」

小さな保育園の小さな庭に、ガンちゃんの影が細長く落ちている。庭に面している教室の、奥から二つ目の窓がほんのわずかに開いた。

「岩田か！　あの、ガンか！」

「おう、ガンだあ」

「く、来るんなら、一人だぞっ！　一人で来い！」

貴子は、食い入るようにガンちゃんの後ろ姿を見つめていた。ガンちゃんは、「行くぞう」「いいかあ」と言い続けながら、ゆっくりと、のし、のし、と歩いていく。やがて玄関のひさしの下に入り、彼の姿は、ゆっくりと建物の中に消えた。

それから数分間は、まるで永遠とも思える程に長く感じられた。太陽がとうに山陰に隠れて、風が冷たく感じられるようになった頃、辺りの静寂を破るように、突然、ガラス窓の割れる音が響いた。貴子は、全身に鳥肌が立つのを感じた。

「――洋ちゃん」

祈るような真弓の囁《ささや》きが聞こえたときだった。保育園の玄関に、あの丸い、大きな人影が現れた。片腕で洋を抱き、彼は相変わらず悠々とした足取りで戻ってくる。それを見定めたように、警察官が建物になだれ込んでいった。

「洋！」

真弓が駆け寄っていく。鳴島と貴子が、それに続いた。洋は、まるで人形のように無表情のまま、ガンちゃんの腕に抱かれて手足をぶらぶらとさせていた。もう少しまともな抱き方はないものかと思ったとき、貴子は、ガンちゃんの白いシャツが赤く染まっていることに気づいた。洋を抱いていない方の肩の辺りがざっくりと切れており、その上、あの丸い腹からも、ガンちゃんは赤い血を滴《したた》らせていた。

「刺されてる！　おい、ガンちゃんが、刺されてる！」

周囲にどよめきが広がった。この路地をバックで入り込んできたらしく、待機していた救急隊が、慌《あわ》てて救急車の後ろを開け、ストレッチャーを出している。

「洋は、怪我《けが》してませんから」

ガンちゃんのかすれたような声が聞こえた。そして、彼は片手に抱いたままの洋を、ゆっくりと鳴島に差し出した。貴子の目の前で、大きな腹に突き刺さったままの包丁が、鈍い、冷たい光を放っていた。

念のためにと、洋も診察を受けることになり、真弓と鳴島は、貴子の存在など忘れた様子で、一緒に救急車に乗り込んだ。二台の救急車がサイレンの音を残して去っていった数分後、両脇《りょうわき》を固められて、被疑者の男が出てきた。目立たない色彩のポロシャツに作業ズボンという出《い》で立《た》ちの、どこにでもいそうな、いかにもくたびれた感じの男は、鼻と口から血を流し、足元はよろめいていた。

「張り手一発、ですな」

さっき、いかにも不愉快そうな顔をしていた中年の刑事が、興奮した表情で言った。

「こいつ、歯が折れてますよ」

周囲からぱちぱちと拍手が起きた。貴子は、見知らぬ人たちと握手を交わし、互いに「よかったよかった」と言い合いながら、それからしばらくの間も、興奮がおさまらなかった。

「ガンちゃんは、すごいお手柄じゃないか」

「大した勇気だよなあ。すごい奴だよ」

かつては殺人者として、誰からも相手にされなかったというガンちゃんを、皆は口々にたたえている。貴子は、他人事《ひとごと》ながら、何だか嬉《うれ》しくてならなかった。身体《からだ》の奥底から、ぞくぞくと興奮が湧《わ》き起こってくる。

「それにしても、警察は何やってんのかねえ」

「人命第一とか言っちゃって、あのガンちゃんにお株を奪われてちゃあ、しょうがないじゃないかなあ」

もっともだと思いながらも、少なからず耳の痛くなる話だった。つい、言い訳をしたい気持ちになる。警察だって、一生懸命なんです。いつだって最善の方法を考えてるんです。今度だって、人質は無事だったけど、ガンちゃんは刺されたじゃないですか。相手がガンちゃんじゃなきゃ——あれこれと考えて、貴子は思わず、苦笑しそうになった。結局、自分は警察官なのだ。目の前で起きた事件を、ただ手をこまねいて眺めていなければならないことに、こんなにも苛立つ。

——やっぱり、仲居さんには、なれそうにもない。

まるで祭りの後のように、徐々に人がいなくなる保育園の前で、貴子は大きく深呼吸をした。辺りには夜の闇が忍び寄り、夏の虫が鳴き始めていた。

洋はその日一日、大事をとって病院に泊まることになった。

「ほっぺたにね、ほんの少し傷が出来てたけど、他は何ともなかった。多少ショックを受けてるみたいだけど、医者の話だと、まだチビだし、すぐに忘れて元気になるだろうってさ」

午後八時を過ぎて帰宅した鳴島は、二人の子どもの頭を同時に撫《な》でながら、笑顔でそう報告してくれた。真弓は、今夜一晩つき添うということだった。そう、早く忘れてくれれば良い。朝になると貴子のことさえ忘れるくらいに、さっさと忘れてくれれば良いと、貴子は心の底から願った。

一方ガンちゃんの方は、肩の怪我は大したことはなかったが、腹の包丁はだいぶ深く刺さっており、手術をしているということだった。包丁を抜かなかったのと、脂肪が厚いことが幸いしたらしいが、包丁は腸まで傷つけており、生命に別状はないものの、回復には時間がかかるという。

「ガンが、生命の恩人になったなあ」

鳴島がしみじみとした口調で言うのを聞き、貴子も、あの時の山のような後ろ姿を思い浮かべていた。

「小学校の同級生だったんだと。あいつが相撲取りだった頃、犯人も東京に出てて、何度か会ったりしてたらしいんだな」

「それにしたって、幼なじみをあぁして刺すんでしょう？　その上、覚醒剤中毒だとしたら、起訴もされないことになりますよね」

貴子が言うと、鳴島は心底憂鬱《ゆううつ》そうな顔になって、まったく下手をすればやられ損だったと言った。

「こんな長閑《のどか》な所でも、覚醒剤中毒なんて、いるんですね」

貴子は、自分も憂鬱になって、ついため息をついた。貴子が所属する機動捜査隊が受け持っている地域でも、覚醒剤中毒者による犯罪が増えてきている。大抵は大事にならずに済んでいるが、白昼の路上で鉈《なた》を振り回す男がいるとか、自宅の窓から家財道具の一切合切を放り投げている者がいるなどという事案は、ほとんどが覚醒剤中毒者によるものだ。それが、貴子が日々を過ごす町の一つの顔だった。そして、そこを走り回るのが、貴子の仕事だった。

「何か、気が抜けちゃった」

「俺も」

そこで、鳴島は初めて笑顔になり、冷蔵庫からビールを出してきた。グラスを差し出されて、貴子も冷たいビールを一息に飲んだ。

「ああ、美味《おい》しい」

ふうっと息をついて、思わず笑顔になると、鳴島もにやりと笑う。

「貴子ちゃん、笑うと可愛《かわい》いじゃない」

「──は」

「ちっとも笑わないからさ、随分無愛想なのか、職業柄、窮屈な子なのかと思ったけど。笑うと案外、子どもっぽいんだな。うちのカミさんと同い年とは思えないよ」

そういえば、こんな風に笑ったことなど、実に久しくなかったのだと思った。貴子は、汗をかいたグラスを指でなぞりながら、明日はドライブでもしようかと思った。

翌日、貴子は鳴島の車を借りて、牡鹿《おしか》半島を目指した。松島から北上したところにある牡鹿半島は、三陸の複雑な海岸線が始まるところに位置し、その入り組んだ地形は、リアス式海岸ならではの変化に富んだ雄大な風景を生み出している。山も険しかったが、道路は見事に整備されていた。地図も持たずに、道路標識だけを頼りに走る貴子にしてみれば、曲がりくねった道の左右に、突然小さな集落が開けたり、小島の浮かぶ長閑な風景が見えたりするのが楽しかった。道の至る所に、カキの養殖に使う帆立貝が大きな束にして積み上げられていて、その白さが目に痛い程だ。この道は、バイクで走りたかった、今度来るときには、是非ともバイクにしようと思いながら、貴子は対向車の少ない道を、ゆっくりと走り続けた。

やがて、月浦《つきのうら》という入り江に出た。小さな見晴らし台のような場所で車から降りると、驚くほど冷たい強風が吹きつけてきた。髪を乱しながら、支倉常長《はせくらつねなが》がここからローマに向かって出航したと書かれている碑を読んで、貴子は何という険しい場所から、遥《はる》かな土地を目指したものかと感心した。

　眼下に見える海と小島と、そしてゆったりと建っている家々の屋根を眺めながら、貴子は強風に髪を乱し、その冷たさに全身をさらしていた。これが山背という、北日本の夏に吹く、冷たい北東風らしい。半袖《はんそで》のTシャツなどでは、すぐに温《ぬく》もりが欲しくなるほど、半島に吹きつけるその風は冷たく、鋭い。

　歴史上の人物が、果たして希望に燃えていたか、または悲壮な覚悟でこの入り江を後にしたかは分からない。だが今の貴子には、ここから旅立った人は、恐らくそれまでのすべてを捨てる覚悟だったように思えてならなかった。執着するものがあっては、とても旅立つことなど出来なかったに違いない、ある種の諦観《ていかん》が支配していたのではないかと、そんな気がする。

　——諦《あきら》めるか、私も。

　今のまま、後にも先にも身動きの出来ないような日々を過ごしているわけにはいかなかった。それに昨日、貴子は自分が刑事を辞められないということを思い知った。何もしたくない、誰とも会いたくないと思いながら、ああして働いている警察官たちに、ある種の羨望《せんぼう》さえ覚えたのだ。すべてから逃げて、見知らぬ町に行き、まったく違う職業についたとしても、今更、何が出来るとも思えなかったし、第一、何の解決にもなりはしない。

起こったことは、消しようもない。恐怖も不安感も、そして、自分を含めた周囲のすべてに対する、拭《ぬぐ》いようのない不信感も、容易に消し去ることは出来ない。ならば、せめて今の状況を諦めて、受け容《い》れるより仕方がなかった。

冷たく湿った風に吹かれながら、貴子は覚悟するのだと自分に言い聞かせていた。また、あの人混みに戻る。面倒な人間関係と、絶え間なく起きる犯罪と、満員電車の生活に戻る。その代わり、待っていてくれる人もいるのだ。貴子の心の傷が癒《い》える日を、文句も言わずに辛抱強く。

「おばちゃん！」

夕方までたっぷり走り回って宿に戻ると、洋が家から飛び出してきた。貴子は思わず腰を屈《かが》めて、頬に絆創膏《ばんそうこう》を貼《は》られている洋をのぞき込んだ。

「元気になった？」

にこにこと笑っている洋は、まるで屈託がないように見える。

「おばちゃん、いつまでいるの？」

「明日、帰ろうかな」

洋は心の底から驚いた顔になった。そして、「お母さぁん！」と言うなり、一目散に走り出す。

「おばちゃんが、帰っちゃうってえ！」

丸一日会わなかったが、どうやらあの子は貴子を忘れていないようだった。だが願わくば、昨日のことはすべて忘れて欲しい、幼い心に傷を残さないで欲しいと祈るような気持ちで、貴子は洋の小さな後ろ姿を見送った。強風にあおられたお陰で、髪がくしゃくしゃになっている。少しばかり伸びすぎた。この夏は、思い切ってショートにしようかと思いながら、貴子は歩き出した。勝手口から、昨日とは打って変わって、普段通りに戻った真弓の、丸い愛嬌《あいきょう》のある顔がのぞいた。

聖夜まで

1

冷たく乾いた風が堅く踏み固められた地面を撫《な》でていく。その風にあおられ、小さな砂利に混じって、とうに枯れ果てて茶色くひからびた木の葉が、微《かす》かな音を立てながら逃げるように転げ回っていった。日が陰ってきた頃から、急に風が強くなった。ざあざあという音を聞いているだけでも冷たそうに感じる噴水は、その風にあおられて放物線を左右に揺らし、近くの植え込みの、少し離れていてもヒイラギと分かる低木も、独特の形状の葉の隙間《すきま》から赤い実をのぞかせながら、微かに震えて見える。

「クリスマスも近いっていうのに」

つい独り言が出た。こうして立っているだけで、瞬《また》く間に身体《からだ》は体温を奪われ、膚《はだ》といわず髪といわず、全身から潤《うるお》いが失われていくような気がする。

「おまけに、こんな場所で。本人は、いつもの通り、ただ安心しきって遊んでたはずなのよ」

呟《つぶや》きながら、音道貴子は、自分がいつもよりもかなり動揺し、しかも感傷的になっているのを感じていた。だから、子どもが絡《から》む事件は嫌なのだ。

つい先月も、二十六歳になる無職の男が、内縁の妻の子どもを折檻《せっかん》死させた事件を扱ったばかりだった。初動捜査に当たることを任務とする機動捜査隊に所属している限り、様々な凶悪事件の中でも、もっとも生々しい場面に遭遇するのは、半ば運命のようなものだ。いちいち動揺していては身がもたないし、ある程度の度胸も冷静さも身につけている自信がある。

だが、外装は小綺麗《こぎれい》でも、中身は安普請《やすぶしん》に違いないアパートの、物で溢《あふ》れかえった室内に横たえられていた小児の遺体を見たときには、思わず怒りがこみ上げた。瞬間的に仕事を忘れて、「何ていうことをしたのよ」と、傍《そば》にいる大人を怒鳴りつけたい気持ちに襲われた。

実際、その小さな亡骸《なきがら》は、正視することがためらわれるくらいの姿だった。やせ細った身体は、子どものいない貴子の目から見ても、四歳にしては小さ過ぎ、全身に無数の痣《あざ》や傷跡があった。その上、片方の眼球は半分以上も飛び出して、小さな歯は血で染まったまま、苦痛を堪《こら》えようとするかのように、微かに唇を噛《か》んでいた。あまりにも無表情に、疲れ果てた老人のような様子で、たった四歳の肉体は、虚《うつ》ろに宙を見つめたまま、小さな骸《むくろ》になっていた。病院にも連れて行かれずに。

「そんなこと言ったって、しつけのつもりだったんですから。ろくでもない大人になられちゃ困るから、ガキの頃から、ちゃんとしつけようと思ってさ」

男は、大して慌《あわ》てている様子もなく、逃走するつもりもないらしく、落ち着き払って、そう言った。我が子を殺された母親までが、「この子も、怒られるようなことばっかりするから」と、茶色い髪をしきりに掻《か》き上げながら、疲れた表情で呟いた。馬鹿《ば》《か》じゃないの。面倒を見ないんなら、せめて施設にでも預けた方がまだ良かったのに。殺すくらいなら、いっそ捨てた方が。喉元《のどもと》まで出かかっていた言葉を必死で呑《の》み込み、貴子は心の中で呟いた。親を選べるわけじゃないんだものね、だけど今回の人生は、最初の当たり外れからして、外れだったわね――。

こういう類《たぐい》の事件は、社会に与える衝撃は大きいが、捜査する側からすれば、決して難しいものではない。事実が発覚しさえすれば、被疑者の特定は極めて容易だし、下手に逃走など企てていない限りは、身柄も簡単に確保できる。それでも、何の落ち度もない小さな子どもが、あまりにも短く哀れな人生を終えたという事実は、記憶に深く刻み込まれ、死後にしか関われなかった刑事の心を必要以上に責める。無理もないと分かっていても、もっと早く、何とかしてやることは出来なかったのか、なぜ、周囲にいる誰かが気づいてやれなかったのかと、悔やむ思いばかりが膨らむのだ。その重苦しい気分からは数日間、解放されることがない。あの日だって貴子は、今も隣にいる相方の八十田や、他の仲間と共に、旨《うま》くもない酒をかなり飲んだ。おそらく、今夜もそういうことになるのだろう。

「第一、あんなことされる理由が、あの子のどこにあったっていうのよ」

埃《ほこり》っぽい風の渦巻く公園で、貴子はなおも呟いた。身体は確かに冷え切っている。だが、腹の底は怒りで煮えたぎっていた。

「やめよう。あの子のことを考えてると、余計に憂鬱《ゆううつ》になる。俺らの仕事は——」

「分かってます。ホシのことを考えなきゃならないことは」

「——とにかく変なやつがいれば、嫌でも目立ってたはずなんだがな。何たって、これだけ見通しのきく場所だ」

八十田だって、貴子と同様か、それ以上に怒り、苛立《いらだ》っているらしいことは、その表情や口調から感じられた。普段はヌーボーとして、何事にも比較的冷静に見える相方は、一度、怒り始めると手がつけられなくなるところまでテンションが上がってしまう。

「それなのに、どうして誰も見てねえんだ。あの子が一人で砂場に埋まったっていうのかよ。それとも、一緒に遊んでたチビたちが、みんなであの子を埋めたって」

「いくら何でも、無理よ。そんなはず、ない」

長身の八十田は、「ああ」と低く唸《うな》るように応《こた》え、眉間《みけん》に深く皺《しわ》を寄せたまま、まるで灯台が辺りを照らすように、ぐるりと人気のない公園内を見回す。風が、彼のコートの裾《すそ》を翻《ひるがえ》す。ばさばさという乾いた音が、余計に神経を刺激した。

貴子たちがこの現場周辺の聞き込みに動き始めてから、既に二時間以上も過ぎていた。だが、有力な目撃証言は出てきていない。このまま暗くなるまで手がかりが見つからなければ、丸投げする形で所轄《しょかつ》署の刑事課に申し送りをしなければならない。それはそれで仕方がないが、こんな卑劣な事件を起こした人間が、今夜も素知らぬ顔で、もしかすると家族と共に温かい夕餉《ゆうげ》などにありつくかと思うと、それだけは阻止したい気持ちに駆られた。

球形のジャングルジムが風で小さく軋《きし》みをあげた。夕暮れの気配が忍び寄る公園に、きい、きい、という細く微かな音が淋《さび》しく広がった。

人々の暮らしが額や肩をぶつけるようにしてひしめき合い、落ち着きも風情《ふぜい》も感じられない灰色の街の中で、この公園だけは、緑を持ち、多少の長閑《のどか》さを感じさせ、風もすんなりと吹き抜けるような印象を与えた。いつもなら、暗くなるまで子どもたちの遊ぶ声が響き、自転車や小さな運動靴が駆け抜けていて良いはずの、安全で楽しい空間だ。確かに深夜にもなれば、青少年がたむろしているとか、そんな連中と一夜のねぐらを求めるホームレスとで喧嘩《けんか》になっているなどという一一〇番通報が入ることもある。だが日中は、公園はあくまでも若い母親や子どもたちのものだった。少なくとも、犯罪とはもっとも縁遠い場所といって良いはずだった。さほどの広さはないものの、ブランコや滑り台などの遊具はひと通り揃《そろ》っているし、砂場もあり、噴水つきの小さな池や花壇もあるという、文字通り憩《いこ》いの場所なのだ。それなのに、そんな公園が、事件の現場になった。

「やっぱり事故でしたってことに、なってくれねえかな」

「分かってるでしょう、そんな無理なことがあるはずないって」

「分かってるけどさ。けど、そこを何とか」

いかにも憂鬱そうな表情で首の後ろを掻いている相方を見上げて、貴子も思わず苛々とため息をついた。八十田の気持ちはよく分かる。無論、事故だって悲劇には違いない。やるせない気持ちにもなるだろう。だが、どう考えても、これは事故ではない。故意だ。だから、もっとやりきれない。

公園の砂場で、幼児が砂場に埋もれ、意識を失った状態で発見されたという通報は、当初は救急車の要請という形で、消防庁に入ったものだった。ところが、駆けつけた救急隊員は、大人に抱きかかえられて、ぐったりとしている小さな女の子が、既に心停止の状態であることと、その様子が尋常ではないことをすぐに見抜いた。

女児は全身が砂まみれの状態だった。しかも、この冬空に顔や髪はびしょ濡《ぬ》れで、それについては通報者の女性たちが、自分たちが水をかけて洗ったのだと説明した。

女の子は砂場の中に横たわる形で、ほぼ完全に埋まっていたのだという。発見時はその口といわず鼻といわず、耳にも、目にさえ砂が詰まっていた。意識は既になかったが、とにかく砂を掻き出して呼吸出来るようにしなければと、通報者たちはほとんどパニック状態に陥ったまま、水飲み場でその子の顔を洗ったのだそうだ。通報者は公園からほど近い場所にある無認可の保育園の女性保育士であり、砂まみれになって死亡した女児を預かっている立場でもあった。

女の子の氏名は堀川芙有香《ふゆか》ちゃん。今度のクリスマスイブが二歳の誕生日だった。両親が共稼ぎのため、零《ゼロ》歳の時から現在の保育園に預けられていた。古いビルの一室にある保育園は、子どもたちを預かるスペースではあっても、のびのびと育てる環境としては決して恵まれたものではなかった。だからこそ、天気の良い日の習慣として、この公園に来ることが多かったのだという。

少し前までは「保母」と呼ばれ、自分たちも、その呼称を気に入っていた女性たちは、巨大な台車に固定されたケージのような、動物の檻《おり》を連想させる不思議な箱形の乗り物に小さな子どもたちを入れ、狭い道をガラガラと押して、保育園とこの公園を往復するのが常だった。その方法なら、まだ満足に立てないような乳児から、元気に走り回りたくてうずうずしている子どもまでが、ピンク色や水色に塗装された二つのケージに入れられて、きわめて安全に、見落とされることも、はぐれることもなく、移動するのである。

建前では、一つのケージには子どもは五人まで、それに二人の保育士がつくことになっていたという。だが今日、二つのケージに入れられた子どもは総勢十三人で、それだけの人数を世話していた保育士は、三人だけだった。慢性的な人手不足に加えて、本来なら、最低でもあと二人いるはずの保育士が、今日に限って一人がインフルエンザ、もう一人が家族に急病人が出て、いずれも欠勤していたのだ。しかも、事件には直接関係ないとはいえ、その三人のうち、有資格者は一人だけだった。

——いつも後から言うことになる。今日に限ってって。

事件が起こる度に必ずと言って良いほど、そういう言葉を耳にする。たまたま、つい、いつもはそんなことはないんですが。それが巡り合わせというものなのか、運の悪さというものなのかは分からない。だが、小さな偶然が積み重なって、予想もつかなかった悲劇を呼び起こすことがある。それを、貴子は実感として学んできた。

救急病院で芙有香ちゃんの死亡が確認された段階で、貴子たちが出動した。救急隊員に次いで、病院で芙有香ちゃんを診た医師も、芙有香ちゃんの喉や鼻に詰まっている砂を異常だと判断したのだ。事件発生が公共の場所ということもあり、現場保存や目撃者の確保を急ぐ必要もあって、機捜が動くことになった。

これまで簡単に聞き込んだ限りでは、堀川芙有香ちゃんは、日頃からおとなしく、マイペースな女の子だったという。近くに他の子どもがいても、一人で黙々と遊び続けるタイプだったらしい。彼女が好まないのは、列を作ったり他の子どもと歩調を合わせて遊ぶことだった。だから、人気のあるブランコや滑り台などの遊具からは自然に遠ざかることになり、こつこつと遊び続けられる砂場が気に入っていた。

多くの子どもたちは落ち着きがなく飽きっぽく、公園内を盛んに移動する。自然に、保育士たちの視線は動き回る子どもの方に集中する。

「手がかからない子でしたし、いつもいい子にして遊んでくれていましたから、油断していたつもりはありませんが、安心していたことは、確かだと思います」

事実、保育士の一人は泣きじゃくりながら、そう語った。良い子は損をする。結局は手のかかる人騒がせな子が、大人の注意を集めて孤独からも逃れ、何だかんだと得をすることになるのだ。貴子自身のことを考えても、妹たちに比べて母に手をかけてもらえなかったと感じているのは、単に年上だからという理由からだけでなく、そういうことのような気がしている。何しろ、すぐ下の妹は癇癪《かんしやく》持ちだったし、末の妹は甘えん坊で落ち着きがなかった。母との摩擦は大きいようでも、結局は、そんな子どもの方が親と接触する機会そのものが増えるのだ。

昼下がりの公園には、他にも日溜《ひだ》まりを求め、友だちや話し相手を求めて、近所の若い母親や子どもたちが集まっていた。芙有香ちゃんが遊んでいた砂場にも、何人もの子どもがいたという。それらの子どもに混ざって、芙有香ちゃんは一心に穴を掘ったり、砂山にトンネルを通したりして遊んでいた。その姿は、多くの目撃者が確認している。

芙有香ちゃんの姿が見あたらないことに気づいたのは、そろそろ子どもたちを保育園へつれて帰ろうという時だった。一人一人の子どもたちを再びカラフルなケージに入れ、人数を確認しているうちに、保育士の一人が初めて気づいた。

「おかしいわね、何で、あの子がいないんだろう」

「そんなはず、ないわよ。芙有香ちゃんでしょう？　あの子ならいつもお砂場で

——」

保育士たちは、まるで悪い冗談でも聞かされたかのように、互いに顔を見合わせたことだろう。だが、さっきまで賑《にぎ》わっていたと思った砂場には、既に人っ子一人いなくなっており、代わりに芙有香ちゃんが使っていた赤いバケツとピンク色のシャベルだけが転がっていた。

「せめて、悪意のないいたずらってことには、ならねえもんかな」

八十田は、まだ未練がましく、そんなことを言っている。今回の事件に関しては、幸いなことに、貴子は砂場の中に横たわる芙有香ちゃんを見ずに済んだ。だが、こうして現場となった所を眺めていると、ここに一人で埋もれていた幼女の姿が否応《いやおう》なく思い描かれた。

「なるわけ、ないじゃないですか。誰が悪意もなしに、あんな小さな子の——」

貴子が言いかけたところで、八十田は心の底からうんざりした表情になって、「やめてくれよ」と唸った。

「おっちゃんが言いたいことは分かってるからさ。だけど、せめて、そう思いたくないかっていう意味だって。そう思えた方がいいってこと。そうだろう？」

「そうだけど——無理に決まってるもの」

「だから、分かってるけどさ」

八十田は怒ったようにそっぽを向き、一人で歩き始めた。貴子は、その後ろ姿を追うこともせずに、やはり砂場を見つめていた。明日からも、子どもたちはここで遊ぶのだろうか。いや、さすがに親がとめるだろうか。

芙有香ちゃんは、目鼻や口に砂が詰まっていたばかりでなく、さらに下半身がむき出しの状態にもなっていた。

「妙な具合になってましたよ。何ていうか、うまく言えないけど、とにかく妙な感じでしたね」

そう語ったのは、まだ若い消防隊員だった。どこか現実味のない、それでも怯《おび》えたような表情で、懸命に適切な表現を探そうとしているらしい消防隊員を前にしながら、あのときは貴子だってまだ、今回の悲劇を事故として扱い得るのではないかと期待していた。そうであって欲しいと思っていた。まだ無理かも知れないと思いつつも、下着を下ろしたのは、芙有香ちゃん自身だったのではないか、遊んでいるうちに尿意、または便意を催したためではないかとも考えた。足下の安定しない砂場で、頭でっかちの幼児がバランスを失って転ぶことくらい、珍しいことでも何でもない。遊びに夢中で大人に告げる間もなく粗相してしまったとか、または煩《わずら》わしく感じるなどして、ぐずぐずしている間に下着をずり下ろして、その上、何かの拍子に転んだ女児に、誰かが面白半分で砂をかけた――そう推測出来れば。結果として一つの生命《いのち》が失われ、悲劇が起きたということには変わりはなくとも、まだ救われる。「誰か」が関わったことは間違いがなくとも、悪意のない悪戯《いたずら》だったと思えないことはない――だが、そんなはかない想像を、今度は監察医からの連絡が打ち消した。幼い女児は、性器にまで小石を詰められていた。

「あんなに小さな子なのに、ですか」

係長から説明を聞いて、呆気《あっけ》にとられている八十田の隣で、貴子もまた言葉を失った。まだ二歳にもならない子どもが、自分の肉体のことなどほとんど知らず、無論、女としての自覚さえ芽生えていないままに、そんな屈辱を味わわなければならなかったというのか。その時に、幼い肉体が味わったに違いない衝撃と恐怖、苦痛が、そっくり自分に乗り移って来るような気分に襲われた。幼女への同情と共に、加害者に対する怒りが猛烈にこみ上げた。だが、その怒りを、今度は新たな恐怖が押さえつけようとする。もしも、という思いが、すぐに頭をもたげてくるのだ。もしも、そんなことをする人間と対峙《たいじ》することになったら。もしも、そんな人間が、今すぐ自分の目の前に現れたら、と。

性的な匂《にお》いを振りまく類《たぐい》の犯罪は、このところ貴子が何よりも憎みつつ、扱うことは苦手にしているものだった。いくら自分に言い聞かせても、どうしても冷静でいられなくなるのだ。恐怖心が先に立つ。今だって、目の前の問題を解決しなければならないことは分かっているし、あくまでも冷静に事に当たるべきだと自分に言い聞かせてはいるが、背中に貼《は》りついた重苦しい不安と恐怖が、少しでも気を抜けば大きく広がってきて貴子を覆《おお》い尽くそうとする。

「——ホシには完全に悪意があるもの。悪戯なんかじゃあ、絶対に済まされない。相手が抵抗できない小さい子だと思って、玩具《おもちゃ》にして」

いつまでも貴子が動かないから、八十田の方が戻ってきた。視界の片隅に彼のコートを見ながら、貴子は砂場を睨《にら》みつけたままで呟《つぶや》いた。身体《からだ》は冷えていく一方なのに、のぼせたように頭だけがかっかと熱くなっている。恐怖も動揺も手伝っている。だが何よりも悔しくて、泣きたくなりそうなのだ。

「二歳にもなってないのよ。冗談じゃない、何考えてる奴《やつ》なのよ。ホシは、この世の中で一番最低の、最悪の人間よ。生きてる価値もない変質者。自分も同じ目に遭えばいいのよ」

「——大丈夫か、おっちゃん」

八十田の声は、明らかに貴子を気遣っていた。貴子は慌《あわ》てて深呼吸をした。自分がいつになく緊張し、また、恐怖に怯えているのを、この相方は敏感に察知している。心配はかけたくなかった。無論、必要以上に気を遣われるのも本意ではない。

深く息を吸い込めば、冬枯れの匂いの冷たい空気が、肺の中に広がった。既に午後四時を回って、夕方の気配は刻一刻と色濃くなっている。だが、雲一つない澄み渡った空を見上げると、傾きつつある陽の光を受けて銀色に輝く飛行機が、豆粒のように小さく見えた。

「少し大きい男の子がいたっていう話、あったろう。引っかかるとしたら、あれくらいかな」

「大きいっていったって、小学生になるかならないかっていう程度でしょう。そんな年頃の子が——」

「だけど、大人を見たっていう証言は出てきてないじゃないか。ああいうことするんなら、まず男のはずなのに。あの時間、女子どもに混ざって大人の男がいたら、絶対に目立つぞ。だけど、浮かんでるのは犬を散歩させてた爺《じい》さん一人で、しかも皆も知ってる、そこの煙草《たばこ》屋の爺さんだ」

確かに、その通りだった。しかも煙草屋の隠居は、事件が起きる前に公園を後にしている。それは、複数の人間が証言しているから間違いがなかった。だとすると、やはりその小学生くらいの少年が手がかりになるというのだろうか。仕方がない、もう一度、周辺を歩こうかと思った矢先に、八十田の携帯電話が鳴った。応対の口調からして相手は係長あたりらしい。何度か「はい」を繰り返し、「了解しました」と言って、八十田は電話を切った。

「とにかく、これだけ聞いて回って目撃者が見つからないんなら、しょうがない。いったん保育園に戻って、資料になるものをとってきてくれってさ」

貴子はようやく頷《うなず》いた。これ以上、感情移入しないためには、被疑者の特定、身柄の確保に集中するしかなかった。

2

有力な目撃証言もなく、行きずりの者による犯行と断定するだけの材料も見つからない以上、警察としては、犯人は被害者を芙有香ちゃんだと知っていて犯行に及んだとする線からも、事件を考える。すると、二歳にもならない幼児を、そこまで憎む人間が多いとは考えにくいことから、芙有香ちゃんの両親などが、誰かに強烈に恨まれており、その身代わりとして無抵抗の小さな子どもを殺害したという推測が成り立つ。

だが、芙有香ちゃんの両親である堀川学《まなぶ》と祥子《さちこ》夫妻は、それぞれ二十八歳と三十歳で、共に中小企業に勤めていたが、警察の簡単な聴取に対しては、犯人に心当たりなど到底あるはずがないと答えているという報告が、保育園に向かう途中に入った。

〈まだ相当に取り乱してるから、真偽のほどは分からんが、夫婦揃《そろ》って、反射的に思い浮かぶような人間がいないことは確からしい。近所でも職場でも、これといったトラブルに見舞われたこともない、ごく普通の夫婦だということだ。どうぞ〉

保育園までは、車など使うより、路地を抜けて歩いた方がよほど近いと思われた。だが、公園の傍《そば》に放置しておくことも出来ないから、乗っている。その、ほんの短い間に、再び係長から、今度は無線が入った。ハンドルを握る八十田に代わって、貴子が無線の送話器を握った。

「じゃあ、やっぱり行きずりの線で洗った方がいいんでしょうか。どうぞ」

〈断定は出来ん。とりあえず子どもと保護者全員の名簿と、保母たちからの聞き込み。そこまでで俺らの仕事はおしまいだろう。どうぞ〉

「了解」

言いながら、何が「了解」なものかと思う。自分たちは右から左へ流していけば済むことだ。仕事なのだから仕方がない。当たり前だ。だが、被害者の側はたまったものではない。そうあっさりと「了解」など出来ることは、何一つとしてないはずだ。

「やりきれねえよな。このまんま、ただ申し送りしただけっていうんじゃあ、酒を飲む気にもなりゃしねえよ」

八十田が憂鬱《ゆううつ》そうに呟いた。そんな話をする間に、車はもう薄暗くなり始めた路地をいくつか曲がり、目指す『青空キッズルーム』の入っている古ぼけたビルの前に着いた。八十田は一旦《いったん》、車を止めると、今度はギヤを入れ替えて、身体を捻《ひね》りながら、器用にバックでさらに細い道に入っていった。

「だからって、一人でさっさと帰ったって、憂《う》さの晴らしようがないしなあ。いいよな、おっちゃんは」

「どうして」

「彼氏に聞いてもらえるだろう」

「――あんまり、話したくないわね。ここまで深刻な事件は」

「そうか？」

「聞く方だって、そう愉快じゃないでしょう。憂鬱になるばっかりで」

「意外に、気遣ってんだな」

「そういうわけじゃないわ。お互いに不愉快になりたくないだけ」

自分から恋人宣言などするはずもないのだが、気がつけば仲間内では今年の後半頃から、昂一《こういち》の存在がしごく当たり前に話題に上るようになっていた。それはそれで妙な隠し立ても必要なくなった分だけ気楽なものだったが、何かというと「彼氏はどう言う」「彼はどう思うかな」などと話題に出されるのは面倒だった。上司は酔う度に「結婚はまだか」と言うし、同僚の中には「早く子どもを産んだら」と言う者もいる。親切はありがたいが、余計なお世話だった。確かに昂一は、今の貴子にとって大切な存在だ。だが、そのことと結婚や出産とは、貴子の中ではまだ一つに結びついていない。昂一とは無関係に、結婚にも、出産にも、貴子自身の気持ちが添っていかないのだ。それについては、今でもたまに連絡を取り合っている、交通課時代の先輩が、貴子が臆病《おくびょう》になっているのだろうと言ったことがある。

――一度の失敗で、懲《こ》りたなんて思わないことよ。結婚に期待しすぎることもないけど、そう絶望することもないじゃないの。せっかく女に生まれたんだから、子どもだって産んでみればいいものなんだから。

貴子が警察官として、初めて現場に出た時に、何かと世話になった先輩だった。当時はお互いに独身の寮暮らしで、仕事を離れても共に行動する機会が多かったものだ。

小山知世《ともよ》という先輩は、当時はことあるごとに、結婚など絶対にしたくないと言っていた。だからこそ、一人で生きていかれる職業を選ぼうと思った、それで婦人警官の道を選んだのだと、そんな話を聞いた記憶がある。だが今、彼女は涼しい顔で小山から添田《そえだ》に姓を変え、二人の子の母にもなっている。

「そういえば、おっちゃんて短大の保育、出てるんだよな」

ようやく車のエンジンを切った八十田が、思い出したように言った。

「本当なら、保母さんや幼稚園の先生になってたかも知れないわけだ」

「ならなくて正解だったわ。自分が預かってる子どもが、こんな目に遭ったら、とてもじゃないけど普通じゃいられなかったもの」

シートベルトを外しながら、貴子はため息混じりに呟いた。実際、もしも自分が、こんな事件の当事者になっていたら、責任の重さにどうにかなっていたかも知れないと思う。

「本当に、こんなことになるなんて――どうして、どうしてって、そればっかり考えて、本当は仕事どころじゃないんですけど」

保育園は茶色い塗装を施された古いビルの三階にあった。鉄の扉は濁った青色に塗られており、『青空キッズルーム』という木のプレートが掛けられている。チャイムを鳴らした上で、応答を待つ前に施錠されていない扉を開けると、慌てた様子で応対に出てきた園長は、泣き腫《は》らした目で、すがりつくように言った。一人で、いたたまれない気分でいたのだという。四十代の後半といったところだろうか、髪に白いものがめだち始めている、いかにも世話好きなおばさんといった印象の女性だ。

「連絡を取ろうにも、取れない親御さんもいますから、まだ子どもが残っていまして、そんな状態では身動きもとれないですし。他の先生たちは、それぞれ警察に行ったりしてますし――もう、私、どうしたらいいのか分からないままで――こんなことが人生のうちに起こるなんて――」

十坪程度の広さだろうか。がらんとした部屋は、片隅にベビーベッドやマットレス、折り畳み式のテーブルなどが置かれている他は、カーペットを敷き詰めただけの空間だった。窓ガラスには、色つきの紙を切り抜いて、クリスマスツリーや雪だるまの形にしたものが貼りつけてある。その向こうに、いよいよ夕闇《ゆうやみ》が迫ってきていた。白々とした蛍光灯の明かりの下では、まだ四、五人の子どもが、思い思いの格好で絵を描いたり、人形をいじったりして遊んでいる。

子どもたちが過ごす部屋は、この一部屋だけだった。そのときに応じて園児たちは、ここで昼寝をしたり、遊んだり、食事をとるのだという。自分自身は幼稚園で育った貴子から見れば、あまりにも狭い、ささやかな空間としか言いようがなかった。だが、子どもを預けて働きに出なければならない親にとっては、かけがえのない場所に違いない。

「もう、本当にどうしたらいいのか——どうして今日に限って、そんなことになったのか。私が行けばよかったんです——本当に——」

芙有香ちゃんを含めて十三人の園児が公園に行っていたとき、この園長は留守番役に回っていたのだった。風邪気味で、外出させない方が良いと思われる子どもが何人かいたために、一人で、その子たちの世話をしていた。

「私、芙有香ちゃんのご両親に、どうお詫《わ》びをしたらいいか——芙有香ちゃんに、何て言って謝ったらいいか——」

園長は新たな涙を流しながら、同じことを言い続けている。「お気持ちは分かりますが」と八十田が遮らなければ、そのままずっと泣き続けていたことだろう。

「とにかく今は、一刻も早く犯人を見つけ出すことです。そこで先生、こちらに通っておいでの子どもさんと、保護者の方の名簿ですね、あと、職員の方の名簿を見せていただけませんか」

園長はようやく我に返ったように貴子たちを見つめてきた。

「そういうものが、必要なんでしょうか」

「必要かどうか、すぐには判断出来ません。ですが、今のところ、すぐに手がかりになりそうな目撃者も見つかっていません。こういう場合は、どんな小さな資料でも欲しいんです」

今度は貴子が答えた。園長は不安そうな表情で、少し何か考える顔をしていたが、やがてあきらめたように「お待ちください」と言った。

「こんな小さなキッズルームですから、きちんとした名簿なんて作ってはいないんです。でも、ワープロで作ったものがありますから、今、印刷しますから」

その間、少し子どもを見ていて欲しいと言い置いて、園長は玄関近くの別の部屋へ入っていった。どうやら、そこが事務室らしい。まさか、この部屋にいて子どもにもしものことがあるとも思えなかったが、それでも小さな事故はついて回る可能性がある。貴子は言われた通りに、思い思いに遊んでいる子どもたちを眺めた。友達の一人が死んだことも知らないまま、無邪気に遊ぶ小さな生命たち。もしかすると、あんな目に遭わなければならなかったのは、ここにいる子どもたちのうちの、誰かだったかも知れない。芙有香ちゃんが殺害されたのは、単なる偶然なのかも知れない。そんなことを考えながら、一人一人の子どもを見ているうち、赤とグレーのストライプのトレーナーに黒いスパッツ姿の、三歳ほどの女の子が目に留まった。

「さとか、ちゃん？」

思わず声をかけていた。小さな子どもは、きょとんとした顔でこちらを見る。

「——だあれ」

「やっぱり、さとかちゃん。添田さとかちゃん」

改めて名前を呼ぶと、小さな女の子は不思議そうな顔のまま、それでもこっくりと頷いた。何という偶然なのだろう。つい今し方、思い出していた先輩の子どもだった。生まれたときには出産祝いを贈り、それ以降は年賀状に印刷された写真などで見知っていた赤ん坊だ。今年の夏に久しぶりに先輩に会うことになって、そのときに彼女は初めて実物を連れてきた。

「おばちゃん、だあれ」

「覚えてないかな、お母さんのお友達」

「お母さんの？　じゃあ、ふうけいさん？」

無邪気な発音に、思わず顔がほころんだ。こわばり続けていた筋肉が久しぶりに緩んで、身体《からだ》の中を暖かいものが流れ出した気分になった。

「夏に、会ったじゃない。忘れちゃった？」

「しぃらない」

貴子は八十田を振り返り、小さく微笑《ほほえ》んだ。

「驚いた、先輩の子ども。今、目黒署にいる」

へえ、と目を丸くする八十田を見ながら、貴子はつい、この子が被害に遭ったのではなくて良かったと思ってしまっている自分に気づいていた。芙有香ちゃんには申し訳ない。どんな子どもだって、遭遇してはならないに決まっている。それは分かっているが、知り合いの、しかも生前の姿もよく知っている子どもが、あんな目に遭ったとなったら、今以上の衝撃を受けなければならなかった。自分にとって大切な存在が、子どもを喪《うしな》ってどん底のような悲しみを味わう様子など、想像さえしたくはなかった。

「さとかちゃん、今日、お母さんは何時頃迎えにくるって？」

「今日は、お父さんがお迎えにくる日だよ。お母さんは、お仕事」

自分に話しかけてくる大人になど、まるで興味も抱かず、再び人形遊びに戻っているさとかを眺めながら、貴子は思わず感慨深い気持ちにとらわれていた。なるほど、先輩は育児も見事に分担しているらしい。

知世の夫は、やはり警察官だった。ずっと交通畑を歩んでいる人で、確か、今はもう警部になっているはずだ。仕事熱心、真面目《まじめ》で誠実だという話だが、貴子から見ると、どうして知世が選んだのか不思議になるほど、外見だって冴《さ》えないし、まるで退屈そうな、何を考えているかも分からない、堅苦しいイメージの男だ。だから貴子は、知世とは連絡をとり続けていても、夫の添田とは、未《いま》だに疎遠《そえん》のままでいる。

この夏に、初めてさとかに会ったとき、この小さな女の子が、あまりにも父親に似ていることが、貴子には何とも不思議で、半ば照れくさく思えたものだった。紛《まが》うことなく知世と添田の子どもなのだとも思ったし、幼く無邪気な行動の一つ一つが、添田の幼い頃と変わらないのかも知れないなどと想像させたからだった。それで、こんなに小さな子の顔を覚えたようなものだ。

「お待たせいたしました」

数分後、園長が印刷したての名簿を持って戻ってきた。貴子は八十田と共に、その用紙をのぞき込み、そこに添田さとかの名前を発見した。保護者氏名は添田毅彦《たけひこ》。間違いなく知世の夫だ。

「さとかちゃんがいるとは、知りませんでした」

独り言のように呟《つぶや》いた。すると園長は「あら」と言い、「ご存じですか、添田さん」と続ける。

「お母さんが、私の先輩になります」

園長は初めて得心がいった様子で、大きく頷《うなず》いた。そして、いかにも悲痛な面もちでさとかの方を見る。

「さとかちゃん、芙有香ちゃんといちばん仲良しさんだったんです。まだ、説明して分かる年齢じゃないにしても、さっきも、『芙有香ちゃんは』って聞かれまして——私、もう何て説明したらいいのか——」

またもや目を潤《うる》ませて、園長は疲れ果てた様子で子どもたちを見ている。自分の話をされているのが分かったのか、一心に人形遊びをしていたさとかが、ふいに顔を上げた。そして、「先生！」と甲高い声を張り上げながら、大きな頭を振るようにして走り寄ってくる。

「さとか、お兄ちゃんもいるんだよねっ」

園長は、急に何を言われたのか分からない様子だった。だが、さとかはぴょんぴょんと飛び跳ねるようにしながら、貴子の方も見上げて、「ね、ね、ね」と嬉《うれ》しそうに笑っている。以前に会ったことなど覚えていないに決まっているのに、大分、うち解けた様子だ。夏に会ったときには、おとなしいばかりで、ひたすら黙りこくって知世の隣でじっとしている子だった。やはり、人見知りをしていたのだろうか。

「お兄ちゃんも、いるんだよ」

「知ってるわよ。尚人《なおと》くんね」

会ったことはないが、知世が寄越すはがきを見ているから、名前くらいは覚えていた。確か、もう小学一、二年になる男の子だ。すると、さとかは、さらに嬉しそうに笑った。

「あのね、本当は、ここに来たいんだよ」

「来たいって、誰が」

「お兄ちゃん！　毎日、来たいんだよっ」

子どもの考えていることは分からない。知世が迎えにくるというのなら、それまでの間、ここで過ごしたいとも思ったが、添田が来るのなら必要はなかった。第一、いくら所轄署《しょかつ》に申し送りをするとはいっても、もう少し歩き回る必要がある。

「だって、今日だってお兄ちゃん、芙有香ちゃんと、遊んでたんだもんねっ」

飛び跳ねるさとかが、言った。貴子は咄嗟《とっさ》に八十田を見た。八十田も瞬間的にこちらを見て、何ともいえない顔つきになっている。頭が思考を停止しそうだ。いや、猛烈に回転を始めたのかも知れない。いずれにせよ、目眩《めまい》のような軽い衝撃が、貴子から言葉を奪った。その間に、幼い子どもから見れば、巨人のような印象を受けるに違いない八十田の方が、その大きな身体をぐっとかがめ、カーペットの床に膝《ひざ》をついた。

そして、さとかの顔をのぞき込む。

「お兄ちゃんも、いたんだ。ふうん」

「いたよ、いたよ。芙有香ちゃんと、お砂場に」

「お兄ちゃん、芙有香ちゃんと仲良しなのかな」

「しぃらない」

八十田は、さとかの二の腕を柔らかく摑《つか》んだ。ぴょんぴょんと飛び跳ねていたさとかが、ようやくおとなしくなった。

「お兄ちゃん、芙有香ちゃんと遊んでたんだね。お兄ちゃん、何年生？」

子どもは、二の腕を摑まれたまま、また動き出そうする。

「二年生っ！ お兄ちゃん、芙有香ちゃんにお団子、作ってあげてたんだよ。さとかも一緒にお団子作りたかったのに、お砂場に入ろうとしたら、『あっち行け』って、ぱっぱって」

背筋と、首筋から両頰にかけて、悪寒《おかん》のようなものが駆け上がった。何も分からない小さな子どもの言葉が、これほど不気味に聞こえたのは初めてのことだった。

「お兄ちゃん、今日、学校だったんじゃないのかな？」

「しぃらないいっ」

「二年生なら、早く終わってるかも知れないわ」

思わず話しかけていた。それから貴子は、自分も八十田と並んで屈《かが》み込んだ。

「さとかちゃん、お兄ちゃんと何かお話しした？」

「しないっ。お兄ちゃんが『あっち行け』って言うときは、行かなきゃいけないんだもん。お母さんが言うときも、お父さんが言うときも、行かなきゃいけないんだよ」

まだ頭が混乱している。隣から今度は八十田が、「お兄ちゃんは？」と言った。

「芙有香ちゃんにお団子作ってあげて、それから、どうしてた？」

「食べさせてあげてた」

胸の奥がざわめいて、またもや泣きたいような気持ちに駆られてきた。背後から園長の「どういうことなの」という、すきま風のような細い呟きが聞こえてきた。その悲痛な響きこそが、すべてを物語っているように感じられた。

3

機動捜査隊は三部制で勤務する部署だから、日勤、当番、非番が三日に一度ずつ巡ってくる。カレンダー通りには休めないため、通常、朝から夕方までが勤務時間になる日勤の日が休日に割り当てられることがいちばん多いのだが、必ずそうなるとは限らない。昨日の日勤日は、比較的少ないその出勤日だったから、今日は昨日の思いや疲れを引きずったままの当番日だった。

目が覚めるなり、胃袋が、昨夜のアルコールで軽い火傷《やけど》でもしたように感じられた。貴子は布団《ふとん》から出ている鼻先だけで部屋の空気の冷たさを感じながら、ベッドの中でいつまでも、ぐずぐずとしていた。本当は、もう一眠りしたいのだ。出勤は午後からで十分なのだし、夕方から翌朝まで勤務する当番日は、いくら慣れているとはいえ、やはり消耗する。少しでも体力を温存したい気持ちが働いた。

カーテンの向こうが晴れているらしいことは分かったが、こう寒くては、洗濯するのも面倒だった。下着もストッキングもハンカチも、まだ十分に替えがある。急いで行かなければならない場所も用事もない、どうしても観《み》たい映画や買わなければならないものがあるわけでもなかった。それなのに、頭の芯《しん》が妙にはっきりと覚醒《かくせい》してしまって、なぜだか気持ちが急《せ》いていた。昨日の砂場の風景や、北風にあおられながら水を放出している噴水の音などが、妙に生々しく頭にこびりついている。

結局、貴子たちの勤務時間に合わせるように、その後の事件処理は所轄署の刑事課に回されることになった。貴子たちの報告により、捜査方針は決まっていた。今日からは、考えられる限りのあらゆる可能性を一つずつつぶした上で、慎重の上にも慎重を期しつつ、最終的には添田尚人に接触することになるのだろう。

七歳ではないか。そんな少年が一体なぜ、幼い女の子を殺害しなければならないのだ。性器にまで悪戯《いたずら》をして、砂場に完全に埋めるような形で。悪ふざけとは言い切れない。そこには、どうしたって、ある種の意志が感じられる。

——悪く考えれば、計画的だったとも、殺意があったとも考えられる状況だもんな。

——一体どういう親なんだ。

——おっちゃんの知り合いなんだって？

——知り合いどころか、うちのカイシャの人間なんだろう？

昨夜、酔えない酒を飲みながら、仲間たちと交わした言葉を思い出す。それらのどれ一つに対しても、貴子は満足に答えを返せなかった。衝撃を受けていることも確かだったが、何よりも、まるで「分からない」というのが正直な状態だったのだ。

「まだ、本当にその子どもが起こしたとは断定出来ませんから」

苦し紛れにそう答えるのがやっとだった。仲間たちは一様に「まあ、そうだけどさ」などと言葉を濁し、飲みかけの酎《ちゅう》ハイに手を伸ばしたり、新しい煙草《たばこ》に火を点《つ》けた。だが、彼らの全員、そして貴子自身が、その言葉の頼りなさを感じていた。貴子は知世の笑顔ばかり思い出しては、「どういうことなんだか」などと呟き続けていたと思う。ようやく酔いが回ってくるにつれ、知世の人となりのようなものも、力説した気がする。貴子より身長は低かったが、がっちりとした体格の堅太りタイプで、奥歯が見えるくらいに豪快に笑って、そのくせ、意外にデリケートで、くよくよ悩むこともあって——。

——くよくよ、悩む。

貴子はベッドの中で改めて、これまでの知世とのことを考えていた。仕事場でも生活の場でも一緒だったのは、およそ二年間ほどだった。彼女は貴子よりも二歳年上だった。

婦人警官の世界だって、人間関係、ことに先輩後輩の関係に色々な摩擦が生じる場合は珍しくも何ともない。中には、あからさまに先輩風を吹かす者もいれば、妙に陰険に立ち回る策略家も、仕事はそっちのけで男の話題と後輩いじめに熱中するようなタイプの勘違い女もいるのだが、知世に限っては、さほどの先輩風を吹かすこともなく、文字通り手取り足取り、様々なことを教えてくれる、世話好きで頼りがいのある婦警だった。外見に似合わず神経質で小心なことは、一緒に過ごしていればすぐに分かるのに、彼女は常に精一杯、婦人警官として完璧《かんぺき》に過ごそうとしているような印象があった。愚痴や文句は決して口にせず、そして、一人になったときに、初めてしょんぼりと打ちひしがれていたりする人だった。

もう少し、気楽に過ごせば良いのにと思いつつ、貴子は、彼女を数少ない尊敬すべき先輩の一人として、生涯、忘れることはないだろうと思ってきた。やがて彼女は別の警察署に異動になり、そこで添田という警察官と出会い、結婚した。

——オト、悪い。私、裏切っちゃった。

結婚を決意したと連絡をくれたとき、確か彼女はそんな言い方をしたと思う。最初、その言葉の意味が分からなくて、貴子はきょとんとしていた。確かに知世は独身主義のようなことを言ってはいたが、貴子の方は知世と一緒に過ごしていた頃から、自分は自分で良い出会いがあれば結婚したいし、一日も早く、そんな出会いが欲しいと宣言していた。だから、裏切ったなどという言葉は当てはまらないはずだった。それなのに彼女は、ひどく言いにくそうで、とてもではないが幸せな報告をするという雰囲気でもなく、悲壮感さえ漂わせながら情けない声で「ごめん」と言った。当時の貴子は、そんな知世の様子を、彼女特有の照れと受け取った。

「何、言ってるんですか、知世先輩。よかったじゃないですか！」

「——そう？　そう思って、くれる？」

「もう、当たり前じゃないですか。本当に独身のままだったら、その方が心配だと思ってたんですから」

その後早速、共に働いていた頃の職場の仲間にも連絡を入れて、皆でささやかなお祝いの会を開いた。集まった全員で質問攻めにした時の、知世の恥ずかしそうな様子を、貴子は今でも鮮明に覚えている。「柄にもなく」とか、「こんな私でも」などという言葉を連発しながら、知世は、大柄な身体《からだ》を申し訳なさそうに縮こまらせて、額には汗まで浮かべていた。そして、相手の理解も得られているので仕事を辞めるつもりはないが、妻となるからには、夫となる添田を精一杯に支えていくつもりだなどと挨《あい》拶《さつ》をした。

さほど昔の話ではない。結婚の翌年には長男を出産して、その尚人が七歳になるのだから、まだ八年しかたっていないことになる。その間に、こちらの方は恋愛して結婚して離婚もし、ミニパトから白バイになり、刑事になった。そう考えると、それなりの年月だという気もするが、貴子がばたばたとしている間に、一方の知世の方は、着実に、ゆったりと人生を歩んでいるものとばかり思っていた。

——それが、どうして。

万に一つも、たとえ親が甘やかしすぎたとしたって、だから人を殺すような子どもに育つとは考えにくい。小学生にもなっていれば、ある程度の分別はついていなければならないはずだ。

——本人が自覚しているにせよ、していないにせよ。

知世は殺人者の母親になる。あの、心優しく正義感に溢《あふ》れた彼女が。曲がったことが大嫌いで、誰に対しても誠意の限りを尽くそうとする人が。

みぞおちの辺りがチクチクと痛くなってきた。貴子は何度か寝返りを繰り返し、毛布に顔を埋《うず》めたり、ため息をついたりしていたが、どうにも気持ちが落ち着かないまま、ついに起き上がってしまった。寝る前に、布団の上に広げてあったはずのフリースは、寝相の悪さの犠牲になって、ベッドの下に落ちていた。それを手早く拾い上げ、パジャマの上に羽織りながら、素足でフローリングの床を歩く。まず寝室と居間のカーテンを開け放ち、エアコンのスイッチを入れ、ついで玄関まで朝刊を取りに行って、そこで脱ぎ捨ててあったスリッパを初めて引っかけて、今度は台所でコーヒーメーカーをセットする。冷たい水で顔を洗い、鏡に映った自分の顔と少しの間にらめっこをしてから居間に戻って、昂一から贈られた椅子《いす》に腰掛ける。その頃にはエアコンから暖かい風が吹き出し始めていた。

【保育園児が砂場で死亡―立川】

コーヒーを待つ間に開いた新聞の社会面には、小さな記事が載っていた。無認可の私立保育園に通っていた一歳の女の子が、公園に遊びに来ている間に砂場で死亡していたという、極めて簡単な事実だけを書いたものだ。確かに、最初に殺人事件として大きく扱ってしまっては、その後が難しくなる可能性が高い。発表する側も、記事にする側も、その辺りを配慮したのに違いなかった。

既に午前九時半を回っていた。カーテン越しに気配を探ったときには上天気に違いないと思ったのに、コーヒーをすすりながら眺める窓の外は、何となく薄ぼんやりとして、はっきり曇っているとも晴れているとも言い難い、頼りない、切なくなるような弱々しい光が広がるばかりだった。

――クリスマス、か。

少し前までは貴子だって、師走《しわす》の声を聞く頃になれば、部屋の片隅に小さなツリーの一つも置きたいような気持ちになったものだ。けれど最近では、そういうつもりも薄れてしまった。出したものは片付けなければならない、収納スペースには限りがある、そんなことを考えると、面倒臭い。

このまま大きなドラマにでも見舞われない限りは、おそらく今年のクリスマスは昂一と過ごすことになるのだろう。だが、果たしてどこで、どんな風に過ごすのだろうか。昂一の方では何か考えてくれているか、いや、彼はそんなタイプではないかも知れない。もしかすると「今更」などと笑って済まされるだろうか、それならそれで構わないとは思うが、やはり何もないのも情けないような気がする、などと、とりとめのないことを考えていたとき、電話が鳴った。

——以心伝心？

思わず浮き立った声で取り上げた受話器から聞こえてきた声は、だが、一瞬のうちに貴子の気持ちを固く強張《こわば》らせた。

「昨日、うちの子に会ったんだって？」

いつもと変わらない、快活な知世の声だった。「添田です」と名乗ることにもとうに慣れて、彼女は「久しぶり」と言うなり、そう切り出した。今、誰よりも話したくない相手だ。貴子は、可能な限り落ち着いた声で、「そうなんですよ」と答えた。

「びっくりしちゃいました。さとかちゃん、私のことなんて覚えてないみたいでしたけど、ちゃんと話してくれたんですか？」

「ちがう、ちがう、お父さんよ。昨日は私、仕事だったから、お父さんが迎えに行く日だったんだけどね、園長先生から聞いたって言って。お父さんも、『オトちゃんがいたんなら、会いたかったのに』なんて言ってたわよ」

「――そうですか」

「知ってるけどさ。オトは、うちのお父さんに、そんなに会いたいなんて思ってないもんね」

「――そういうわけでも、ないですけど。昨日は本当、勤務中だったんです」

「そうそう、私もびっくりしたんだけどさ、昨日の、あれ、オトが扱ったの？」

やはり胃の薬を飲んでおけば良かっただろうか。またもやチクチクしてきた。貴子は曖昧《あいまい》に答えながら、冷め始めているコーヒーを飲み下した。

「でも、機捜の仕事？　事故だったんでしょう？　違うの？」

「判断がつかないっていうことで――私たちが出たんですけどね」

貴子の説明に、知世はあっさりと「そうなんだ」と答えた。同僚や上司からは、いくら先輩後輩の仲でも、他の部署の人間には余計なことは言ってはいけないと口止めされている。だが、改めてそんなことを言われるまでも、また、職務規程を考えるまでもなく、この先輩に対して、貴子の口から真実を問うことなど、到底出来そうにはなかった。

「それにしても、大変だったわねえ。何ていったかしらね、亡《な》くなったお子さん。確か、女の子なのよね？」

心の中がざらりとした。芙有香ちゃんは、さとかと仲が良かったと園長は言っていた。そんなことも、母親の知世が知らないのだろうか。

「おかげでしばらくの間、あそこの保育園、閉めることになっちゃったのよ。もう大変よ、その間だけ預かってくれる別のベビールームを探さなきゃならなくて」

「――ああ、そうでしょうね」

「まあ、そう長いことじゃないと思うけどね。さとかも、お兄ちゃんくらい大きくなってくれてれば、楽なんだけど」

「さとかちゃん、ショックなんか受けていないですか」

「まだ、チビだから、大丈夫よ。前の日のことさえ、満足に覚えてるかどうか分からないくらいだもの。これが、お兄ちゃんの方だったらショックも大きいかも知れないけどさ」

「――尚人くん――でしたっけ。元気ですか？」

「子どもは風の子って本当よね。寒かろうが何だろうが、まあ元気なこと」

知世は屈託のない笑い声を上げている。ひょっとすると、すべてはこちらの見込み違いなのかも知れないという気にさえなるくらいの、あまりにも明るい声だった。だが、そうではない。貴子一人、または貴子と八十田だけが判断した話ではないのだ。これは現実だった。取り返しのつかないことが既に起こっている。現に、決して取り戻すことの出来ない生命《いのち》が奪われている。

「元はといえばさ、ちゃんとした保育園が、もっと増えてくれればいいのよね。ああいう、私立で無認可なんていうところの方が、ずっと多いわけだし、第一、オトは知らないと思うけど、保育料だって馬鹿《ばか》にならないのよ。はっきり言って、私のお給料の大半は——」

もう、やり切れなかった。何も知らないふりをして、このまま雑談を続けることなど、出来そうにない。貴子は「知世先輩」といつものように呼びかけて、相手の早口の話し声を遮った。

「すみません、今、靴を履きかけたところだったんです」

「あ、そうなの。ごめんね、本当。うちの子の保育園にオトが行ったなんて聞いたら、急に声を聞きたくなっちゃって。昨日の夕方、働いてたってことは、今日は当番かな、なんて思ったものだから。ごめん、ごめん」

「そうなんですけど、その前に行かなきゃならないところがあって。申し訳ないんですが」

「いいって、いいって、お互い、忙しいんだもの。それより、どう？　新しい彼氏でも、出来た？」

「あの、また今度、ゆっくりお話ししますから」

「あ、そうか、そうか。急いでるんだものね」

また今度、近いうちにね、という声で、会話は終わった。空になったコーヒーカップをテーブルの上に置いて、貴子は再び寝室にとって返し、フリースのままベッドに倒れ込んでしまった。

――やりきれない。

本当なら、こんな時は昴一に聞いてもらうに限るのだ。八十田にはあんな風に言ったが、実際には、出来事のすべてではないにしても、一端だけでも吐き出させてもらえたら、どんなに楽になるか分からなかった。だが実は、彼は先週からイタリアに行っていた。メールのやりとりは可能らしいが、貴子はパソコンを持っていない。

理不尽と分かっていながら恨めしい。いっそのこと、これから急いでパソコンを買いに行こうか。だが、買ったからといって、すぐにメールなど出来るようになるものか、そこからして分からなかった。いずれにせよ、あと四、五日もすれば帰ってくる。

そのときまでに気持ちの整理がついていれば、それで良いのだと自分に言い聞かせて、深呼吸ともため息ともつかない息を深く、大きく吐き出してから、貴子は今度こそ着替えるつもりで起きあがった。

添田尚人が事情を聞かれ始めたと教えられたのは、その三日後の、やはり当番日のことだった。

「刑事課の方では断定したようだな。とにかく他に手がかりらしいものも何もないし、添田尚人に間違いないと思われる少年が、事件の前後に砂場で遊んでいたことは、複数の人間が証言してるっていうんだ」

教えてくれたのは大下係長だった。覚悟はしていたものの、貴子は暗澹《あんたん》たる気持ちで頷《うなず》くより他なかった。

「刑事で扱ってるんですか」

「そうはいかんだろう。相手は十四歳未満の少年だ。刑事責任無能力者というわけだから、生安の出番だ。で、少年法か児童福祉法か分からんが、そっちの法律によって、まず児童相談所に判断を任せることになるんじゃないか」

「じゃあ、扱いは生活安全課の、少年係ですか」

「だろうな。俺らの課で、七歳の子どもと上手に喋《しゃべ》れるデカなんて、そうはいないだろうし、まあ、せいぜい同席するのが関の山だ」

「あの——親は」

それなんだよなあ、と、貴子が密《ひそ》かにウツボと名づけている藤代《ふじしろ》主任が、話に加わってきた。

「何たって同業者だっていうのが、やりきれんな。小さい子どもがやったことだし、つまりは刑事責任を問われるわけじゃないんだから、そういう点ではいいかも知れないけど、道義的責任てえヤツは問われるかも知れんしなあ。大体、普通に育ててたら、七歳で殺人なんて犯すはずがないんだから」

貴子は情けない気持ちでウツボの貧相な顔を見ながら、何一つとして言い返せない自分に気づき、結局はため息をついただけだった。

「聴取の間、同席はするでしょうか」

「分からん。だが、人権の問題もあるだろうから、親は無理だとしても弁護士あたりは同席させるんじゃないかな」

今度は係長が答えた。そして、詳しいことが分かったら、また教えてやるからと言って、ぽんぽんと貴子の肩を叩《たた》く。今頃、知世はどんな気持ちでいることだろうか。どうしているだろう。気持ちがざわついて仕方がなかった。だが、こちらから連絡することもためらわれる。もう少し様子を見ているより他になさそうだった。

4

こんな時は、じっとしているより動いていた方が気が紛れる。師走の夜の喧嘩《けんか》やひったくり、借金苦の自殺処理などに追い回されて、その日の当番勤務はありがたいほど忙しかった。貴子たちの所属する機捜の分駐所は立川広域防災基地と称される広大な敷地内にあって、すぐ前には広々とした芝生の空間がある。朝の陽射《ひざ》しが、霜が降りて真っ白に見える広々とした空間に照り映え、やがて冬枯れ色の大地の色が戻ってくる様は、何度見ても美しい。寝不足の目で、その景色を眺め、胸が痛くなるほど冷たい空気を吸い込んで、ようやく分駐所に戻った貴子を待っていたのは、添田尚人が犯行を自供したという知らせだった。

「自供って――」

わざわざ貴子が戻ってくるのを待っていてくれたという所轄《しょかつ》署の刑事は、四十前後の実直そうな男だった。初動捜査に当たったたという縁もあり、知り合いの子どもでもあると大下係長から聞いて、来てくれたらしい。

「無論、殺したという言い方はしてませんがね。ただ、やったことについては一つ一つ、かなり正確に話しました。砂で作った団子を、芙有香ちゃんの頭を押さえて無理に食べさせたことも、そのまま砂場に倒して、耳と鼻にも砂を詰めたことも、その後、うつぶせの芙有香ちゃんの後頭部に腰掛けるような姿勢をとって、タイツみたいなやつと、パンツを、脱がせたことなんかもね」

その上で、砂場に混ざっていた小石を、幼女の陰部に詰めたというのだ。思わずその光景を思い描き、恐怖と不快感とで、貴子は顔が痙攣《けいれん》しそうになった。

「どうして、そんなことを――」

「そこなんです。まあ、子どもですから、いちいち理由なんかないのかも知れませんが、はっきりと答えないんです。ただ、少年係の担当者が、団子については『そんなことをしたら、芙有香ちゃんが息が出来なくなっちゃうと思わなかった？』と聞いたらですね、『思った』と」

「じゃあ――殺意があったっていうことですか」

「そう簡単に判断することは出来んらしいです。息が出来ないということが、直接に死を意味するかどうか分かっていたか、死というものを理解していたかどうか、ですがね」

尚人少年は、当初は抵抗したものの、落ち着けば意外に素直な様子で、泣くこともなく、自分を取り囲む大人たちを恐《こわ》がりもせずに聴取に応じたという。

「それで——添田さんご夫婦は、どうしておいでしょうか」

男の刑事は「うーん」と唸《うな》るような声を上げ、腕組みをした。想像はついている。少なくとも知世の方は、相当に取り乱しているに違いなかった。

「まあねえ、誰が聞いたって、信じられないでしょう」

案の定、知世は当初、少年係の説明も、刑事の説明も、まるで受けつけようとしなかったのだそうだ。「嘘《うそ》です」を連発し、尚人の身柄を警察に移すことについても激しく抵抗したらしい。一方、夫の方は、感想めいたものは一切口にしていないが、「事実ならば受け入れる」と言っているという。

「その子は、これからどうなるんでしょうか」

「いずれにせよ、我々の手は離れていますからね。正確なことは分かりませんが、いくら七歳でも、まるで何事もなかったように自宅で過ごすっていうことは、まずないでしょう。何しろ人一人、死んでるわけだし、少年の精神状態だって、もう少し調べる必要があるだろうから」

「児童相談所かどこか、でしょうか」

「まずは、そんなところでしょうね。その後は、自立支援施設かな」

　ここまで来てしまった以上、もっとも望ましい解決策は何なのだろうかと思った。だが、尚人や知世のために懸命に考えている一方では、堀川芙有香の遺族こそ、たまったものではないではないかということも、忘れているつもりはなかった。最愛の娘を、着せ替え人形でも放り投げるかのようにして殺されて、しかも犯人はといえば、まんざら知らない仲でもない七歳程度の少年で、刑事責任さえ問うことも出来ないとなったら、果たして遺族は、どういう形で心に決着をつければ良いというのだろうか。

「ご遺族には、お知らせするんですか」

「そりゃあ、しないわけにはいかんでしょうが——何しろねえ、知らせても、余計に救われないからねえ、今回は」

　刑事は疲れた顔をしていた。そして、安物のソファから腰を上げながら、フィルター近くまで吸った何本目か分からない煙草《たばこ》を灰皿に押しつけた。礼を言って頭を下げる貴子に手を振って応《こた》え、刑事はコートの裾《すそ》を揺らしながら帰っていった。遠巻きに様子をうかがっていた仲間たちが、一斉にため息をついたのが分かった。頬が火照《ほて》っているのは、暖房のせいばかりではない。

「やっぱり、やってたか」

「その一家は、大変だぞ、これから」

交互に呟《つぶや》いたのはウツボと、ウツボと組んでいる富田だった。彼らは、それぞれ子どものいる身で、しかも富田は子沢山ときている。独り者の貴子や八十田とは、また違う感触で事件を捉《とら》えているに違いない。

「どうなるんだかなあ、こういう場合は」

大下係長も、寝覚めの悪そうな、憂鬱《ゆううつ》そうな表情で呟いた。窓の外には冬の陽射しが溢《あふ》れ始めている。だが、この目映《まばゆ》く美しい朝陽を、果たして知世は、どんな思いで浴びていることだろうか。

——かといって、連絡も出来ない。

心情的な理由もあるが、ここしばらくは、貴子の電話など受けている場合ではないに違いない。ここまで築いてきた人生のすべてが音を立てて崩壊し、未来は永遠に闇《やみ》に閉ざされる、そんな気持ちになっているかも知れない。貴子でさえ、頭の中に「まさか」という思いが渦巻いている。それが当事者だったら、たとえようもない混乱の大渦に呑《の》み込まれているのに違いなかった。そう考えると、知世が哀れでもあり、また一方では、かつて感じたこともない、ひんやりとした不気味さを覚えた。何といっても、幼い殺人者を育ててしまった母親、それが知世なのだ。

これは犯罪者と、その周囲の者に対する偏見なのだろうかと、ふと思う。分からない。もちろん、自分に出来ることは何かあるだろうかという思いは抱いている。その一方では、同情を寄せ、肩を持っている場合ではないのではないかとも思うのだ。いちばんに考えるべきなのは、芙有香ちゃんと遺族のことではないか。だが、知世は先輩だった。十年以上もつきあってきた人だった。

——分からない。何もかも。

他人のことで、こんなにも憂鬱になり、途方に暮れることがあろうとは。まるで何をする気もなくなりそうだ。

「気になってんだろう？　聞いてみて、やろうか」

報告書を書く気にもなれないまま、ぼんやり机に向かって頬杖《ほおづえ》をついていたら、大下係長に声をかけられた。貴子は慌《あわ》てて姿勢をただした。

「——お願い、出来ますか」

「その間に書いちゃえよ。報告書」

係長はデスクの電話に手を伸ばしながら言った。やがて、デスクに向かっている貴子の耳に、係長の「もしもし」という声が聞こえてきた。挨拶《あいさつ》、簡単な前置き、本題。その辺りから、わずかに声がひそめられる。別段、この狭い空間にいる誰に聞かれたって困るものではないはずだが、相手が誰であっても、少し込み入った話になると声が小さくなるのは、係長の癖かも知れなかった。

「——まあ、分からないじゃないですよね」

「そりゃあ、そうだなあ」

「でも、一応は立場を考えんとねえ、まずいでしょう。マスコミ対策は、どんな具合です」

耳に届く言葉を聞いているだけで、鼓動が速くなるのが分かる。知世は今、どこにいるのだろうか。どこで、どうしているだろう。それから係長の声は、ほとんどが短い相づちだけになった。何を話しているのか知りたくて、とてもではないが報告書などに集中していられない。それでも貴子は、ちらちらと係長の方を窺《うかが》いながら、懸命にワープロのキーボードと画面とを睨《にら》みつけていた。もう少し速くタイプ出来れば良いのだが、元来、デスクワークは好きではない。

「いや、どうもありがとうございました。ええ、そうなんです。まあねえ、そうなんですわ。先輩後輩っていうのは、我々だって女性陣だって、変わりませんから——ええ、伝えます。いや、助かりました。ああ、はい。了解しました。はい。またよろしくどうぞ。はいはい」

急に声が大きくなった。今度こそワープロを打つ手を止めて、貴子は係長の方に顔を向けた。

「やっぱり児童相談所だな」

電話を切り、こちらを向いた係長は、あっさりと言った。

「だが、親がものすごく抵抗してるらしい。絶対に渡さないと騒いでるそうだ」

「――先輩が、ですか」

「暴れたらしい」

「あの――」

「おっちゃんの先輩が、だ。母親が」

机に両手をついて、腰を上げかけていたのに、すとん、と力が抜けた。何ですって？　先輩が？　そんなタイプではない。少なくとも、貴子が知っている知世は、そういう人ではないはずだった。

「母親になると、変わるんでしょうか――子どものこととなると」

「そうはいったって、仕方がないことじゃないか。故意にせよ事故にせよ、人一人死んでるんだぜ。それが分からないはずがないだろう？　いくら交通警察一筋っていったって、うちのカイシャの人間なんだしさ」

八十田が、ぬっと首を伸ばしてきた。いかにも不服そうに口をとがらせて、彼は眉《まゆ》根《ね》まで寄せてこちらを見ている。

「まあ、母親としては心配に違いないが、それでも、まずは遺族のことを考えるべきだろうな、ここはやっぱり」

ウツボも奥まった小さな目をきょときょとと動かしながら言う。貧相な目元はもちろんだが、大きな口からのぞく歯が、妙に小粒でどういうわけか数まで多く見えるから、余計にウツボらしい。

「——そういう人じゃ、ないはずなんですけど。人一倍、責任感の強い人ですし、仕事に誇りも持ってますし」

「所詮《しょせん》は愛情不足なんじゃないの？　そういう母親に限って、何かあった途端に子どもに執着するらしいよ」

最近、ますます髪が薄くなってきて、中年男への道を驀進《ばくしん》中といった感じの富田まてが、そう言った。確かに息子がしでかしたことの重大さを考えれば、親が責められるのは無理もないとは思う。それでも貴子は何とも情けない気持ちにならざるを得なかった。皆、本当の彼女を知らないくせに、勝手なことばかり言わないで欲しいと思った。

「少年係の方でも、児童相談所でも、これからは少年のこと以外に、親のことなんかも調べ始めるはずだから、そのうち、おっちゃんのところにも話を聞きに来るかも知れんな」

そこまでは考えていなかった。貴子はますます憂鬱になりながら、取りあえず情報をとってくれた係長に礼を言った。ウッボが、「女だからって、ただ産みゃあいいってもんでも、ねえなあ」と呟いた。日頃から、ひと言多い性格だとは承知しているが、こういうときには本当に腹が立った。

5

係長の予言は当たっていた。翌日、貴子は所轄署の少年係の電話に起こされた。

「今日はお休みとうかがったものですから。例の、添田尚人くんの件で、少し時間を頂戴《ちょうだい》できないでしょうか」

願ってもないことだった。貴子は西村と名乗る、声の感じからするとまだ若い様子の警察官の申し出を二つ返事で受け入れた。今の段階では、自分から知世に電話をすることもためらわれ、どうしたら良いかも分からないままだ。そんな宙ぶらりんな状態からは、少しでも早く抜け出したかった。

休みの日に、自分が勤務しているわけでもない警察署に、しかもオートバイで向かうのは、ほとんど初めての経験だった。その上、訪ねる先は少年係ときている。刑事として、自分から未知の誰かを訪ねていくのには慣れているつもりだが、どうも勝手が違う気がする。しかも、話題は知世のことだった。決して愉快な話が聞けるわけではないことは分かっている。少し迷った挙げ句、冬枯れの匂《にお》いを味わいながらオートバイで向かうことにしたのは、ここしばらく愛車を動かしていないという理由の他に、そんな沈みがちな気分を奮い立たせる意味もあったかも知れない。

「あの大きいので？　あら、勇ましいですね」

電話の印象通り、まだ二十代に違いない西村と、彼を従える形で共に現れた四十代くらいの上司は、片手にヘルメットを抱えて、ブーツにジーパン、革ジャン姿という貴子を驚いたように見て、次いで警察署の前に停めたオートバイを窓から覗《のぞ》き、さらに目を丸くした。

「お若いのねえ、この寒いのに」

西村巡査の上司は名川という丸っこい体型の、小柄な女性係長だった。私服になったら単なる近所のおばさんといった雰囲気を持つ、笑顔の柔らかい人だ。さすがに長年、少年を相手にしてきた人なのだろう。いかにも包容力があり、また忍耐強そうな印象を受けた。小さな会議室に通されて温かいコーヒーなど出され、少し雑談をしただけで、貴子は名川係長の人柄を感じた。

「じゃあ、添田知世さんとは、白バイ隊で？」

「いえ、新任教養のときです」

「それからずっと、親しくしていらした」

「会わない期間もありますが、一応、そういうつもりです」

コーヒーを半分ほど飲んだところで、話題は自然に本題に入った。名川係長はテーブルの上で、多少肌荒れしている両手を組み、ひそかに深呼吸をした後で、わずかに顎《あご》を引いて「実は」と声の調子を落とした。

「私もずい分長いこと、この仕事をさせていただいてるんですが、今回みたいなケースは初めてなんです。あらゆる意味でね」

係長は、そこでまた小さくため息をついた。

「その一つ一つについて、丁寧に考える必要があると思っています。今日、音道さんにおいでいただいたのは、初動捜査に当たられたとも伺ったし、特に、少年の母親と、お親しいと聞きましたのでね」

貴子は、先を促すように小さく頷《うなず》いた。

「その保護者のね、動揺が、かなり激しいんです。事情が事情ですから当たり前かも知れませんが、それでも、想像以上なんです」

「保護者というのは――母親の方ですか」

名前を口にすべきか、先輩と呼ぶべきか、咄嗟《とっさ》に判断がつかなかった。だが、私情を交えずに話すべき内容なのかも知れないと思ったら、自然に「母親」という呼び方になった。係長はしっかりと大きく頷き、わずかにずり落ちかかっていた眼鏡をかけ直した。

「子どもを手放したくないと言って、泣き叫ぶ、暴れる、私たちだけでなく、ケースワーカーにまで殴りかかろうとしたくらいです」

やはり、すぐには信じられない言葉だった。貴子は、黙って係長を見つめていた。こんなところで嘘《うそ》をつくとも思わなかったし、第一、隣に控えている若い西村も、小さく頷いている。

「無論、動揺は分かります。ですが、まず被害者とご遺族のことをいちばんに考えるべき立場ですし、何ていっても警察官でしょう。どうして、そんな分別がつかないのかが、分からなくて」

「──そんなに動揺してるんですか」

「動揺を通り越して、取り乱していると言ってもいいでしょう。手がつけられないくらいでした」

「──私の知っている先輩は、そういうタイプの人ではないはずなんですけれど」

貴子は腑《ふ》に落ちない思いで宙を見つめた。

「少なくとも、私はそう思ってきました」

係長は、今度こそ大きなため息をついて、西村巡査の方を振り返った。貴子も自然に、係長の視線を追った。几帳面《きちようめん》そうに居住まいを正して座っていた西村は、色白の端正な顔立ちで、係長の視線を受け止めながら丁寧に頷いている。それを確かめるようにしてから、係長は「実は」と口を開いた。

「少年の方も初めのうちは激しく抵抗しましてね、お母さんと離れたくない、家に帰りたいって。音道さんは、少年にお会いになったことは？」

「妹の方は今年の夏に、一度、会っているんですが、そのときには上の子は連れてきませんでしたから──」

「では、少年の性格などについてはお分かりにならない」

「母親から、何か聞いたという記憶もありませんので」

なるほど、と言うように係長が頷く。

「こういう事件まで起こしたくらいですから、考えてみれば当たり前の話ですが、総じて非常に感情の安定しない、難しい子だという印象を受けました。とにかく半ば無理矢理に児童相談所に連れて行って、その夜、向こうの係員が、お風呂《ふろ》に入れようとして初めて気づいたんですが」

貴子は困惑した表情の係長を黙って見つめていた。不安が胸の中で渦巻いている。

「あの少年は、どうやら虐待《ぎゃくたい》を受けてきた形跡があると」

「――虐待？」

「服を脱がせて初めて分かったことです。全身至る所に痣《あざ》や傷跡があって、中には火傷《やけど》の痕《あと》らしいケロイドになっている部分もあります。写真もあるけど――ご覧にならないでしょう？　とにかく、大分、古い傷からあるらしいんです」

咄嗟に添田の顔が思い浮かんだ。実際には、彼らの結婚式の時に会ったきりなのだから、今は面変わりもしているかも知れない。だが、真面目《まじめ》なばかりで面白味のなさそうな、あまり人間味のない男なのではないかという印象は、貴子の中にこびりついている。あの男が一瞬のうちに豹変《ひょうへん》し、恐ろしい形相で子どもを折檻《せっかん》する姿は、意外なほど容易に想像出来た。

「それは、やっぱり——親が」

名川係長は、「もちろん」と答えた。

「母親がね」

貴子は呆気《あっけ》にとられて、少しの間、たった今、聞かされたばかりのひと言が、自分の中のどこに収まるかを量らなければならなかった。母親といったら、それは知世のことではないか。知世が、子どもを虐待していた？　あの知世が？

「信じたくないでしょうけれど、事実なの。だから、添田知世は子どもを手放したがらなかったんでしょう。虐待の事実が露見する心配があったから、ということは勿論《もちろん》ですが、子どもを虐待している親の場合、往々にして、自分は子どもを溺愛《できあい》していると信じ込んでいます。だからこそ、片時も離れたくない、手放したくないと主張するわけですね」

係長は憂鬱《ゆううつ》そうな表情で、それでも冷静に、ゆっくりと話した。

「本当、嫌な話なんですけどね。ああ、憂鬱になっちゃうわね」

こめかみに指をあて、ため息混じりに呟《つぶや》いて、彼女はそこで急に口調を変えた。警察官としてではなく、一人の女性として、やり切れないといった口調だった。

「——子どもが、そう言ってるんですか。その——お母さんが自分を虐待したって」

それについては、係長の隣の西村が大きく頷いた。事件が少年係に引き継がれてから、既にかなりの時間、添田尚人と共に過ごしているのが、この西村なのだと係長が言った。

「普通、小さな子どもを相手にするのは、婦警の方がいいような気がするでしょう。でも、あの子は女性、特に婦警に対して、異常な緊張を示したり、敵意を見せたりするんです。おとなしくしていたと思ったら、急に暴れ出したり、攻撃的になったり。だから、お兄さんみたいな感じの方がいいのかと思って、いちばん若い、彼に頼んでみたんです。そうしたら意外に落ち着いて。ねえ」

尚人は女性が嫌いなのか――貴子の中で、砂場の光景や芙有香ちゃんの様子、たった今、係長から聞いた話などが一つの求心力を持って、ある形にまとまっていくような気がした。おそらく、係長の話は嘘ではないのだろうと思った。

「あの子は、とにかく母親を庇《かば》う言い方をするんです。聞いてもいないのに、『お母さんは優しい』とか『お母さんは仕事が大変だ』とか。お母さんは君を怒るかいって尋ねたら、『それは僕が悪い子だから』と答えました。典型的なケースですよ。お母さんが好きか尋ねたら、まったくの無表情で『決まってるよ』とも言いました」

係長に促される形で、西村が初めて口を開いた。その話を聞きながら、貴子は、じかには会ったことのない少年の心を思った。それにしても知世は、一体何をしてきたのだろうか。自分で望んだ子どもではなかったのか。どんなストレスから、子どもを虐待などしたのだろう。その事実を、夫は知っているのだろうか。貴子が質問すると、西村と名川係長とは、揃《そろ》って首を振った。

「まるで、何も知らなかったようです。典型的な父親不在というか」

「でも——家事は父親も分担しているような雰囲気でした。現に下の子の保育園の送り迎えを受け持つ日もあるみたいですし、そんな父親なら、子どもをお風呂に入れたりも、するんじゃないでしょうか。たとえ、虐待を受けていたとしても、そういうときに気がつきそうなものじゃないですか？」

西村はこまめに頷きながら、いかにも熱心な様子で貴子の話を聞く。彼は、相手が口をつぐむと、頭の中を整理して、一つ大きく頷いてから今度は自分が話し始めるといったタイプだった。

「それは、下の子に限っての話、かも知れないんです。親によっては、上の子に対するのと下の子に対するのと、または男の子と女の子によっても、愛情の抱き方が違う場合は少なくありません。それから、母親がいない隙《すき》に、父親を頼ったり、相談したりすればいいようにも思いますよね。でも、被虐待児童の場合、いちばん問題なのは、虐待を受けている恐怖や心の傷は勿論ですが、自分を助けてくれる人が周りにいないという孤独と絶望感だといわれてるんです。助けて欲しいに決まっているけど、誰にも頼れない、誰も信じられないという思い、ですね」

感心している貴子に、名川係長が「よく勉強してますでしょう」と目を細めた。

「うちにも、そういう相談は増えてきてるんです。まあ、少年の心については、これから時間をかけて調べていくより他ありません。あの年齢ですから、事態は深刻でも完全に絶望することもないのかも知れないし、彼も被害者なのだとしたら、何とかして救済の道を考えなきゃなりませんからね。それは、もう私たちの手を離れたところで行われることになるでしょうが――」

問題は、母親である添田知世のことだと係長はまたため息をついた。

「下手をすると、それこそ逮捕しなければなりません。音道さん、何か思い当たるところ、ありませんか。彼女のこれまでの勤務ぶりや、その時々の関係者などに尋ねても、添田知世という人は、婦人警官としては真面目で責任感の強い、優秀な女性という評価しか、ないんです」

「私も――そう思ってきました。新人の時には本当にお世話になりましたし、色々と教えていただきましたし」

ため息しか出なかった。彼女が子どもを虐待していたなどと、これまでの知世を知っている誰が信じるだろうか。それに彼女は、事件の翌日だって貴子に電話を寄越したではないか。いつもと変わらない、屈託のない、明るい声で。

「そういうイメージを崩すまいと、頑張り過ぎてきたのかしらねえ」

「確かに、ストレスをためやすいタイプだという印象は持っています。でも、だからといって子どもに当たるようなタイプだとは思えないし、第一さっきも伺いましたけど、ご主人は一体、何をしていたんでしょう」

狭い会議室で、貴子は名川係長と西村と、無言で見つめ合った。最初の衝撃が落着いてくるに連れ、今度は怒りが湧《わ》き起こってきている。虐待が事実なら、確かに知世が悪い。あの小さな少女が死ななければならなかったのも、間接的には知世に責任があるといえるだろう。だが、元から残虐だったり凶暴だったりしたとは、どうしても思えないのだ。では、そこまで知世を追いつめたものは何なのだ、傍《そば》にいたはずの夫ではないのか。

「虐待が起こるような家庭っていうのは、外とのつながりがないというか、子どもばかりじゃなくて、家庭そのものが周囲から孤立している場合が多いんです。だから余計に第三者が気づきにくい、気づいたときには手遅れに近いというか」

勉強熱心らしい西村が言った。名川係長が満足げに頷いている。こういう若い部下がいたら、頼もしく、また、たとえ憂鬱な仕事でも、少しは楽になるだろうという気がした。出来るなら貴子だって、将来的にはこんな部下を持てるようになりたいものだ。恋心とまでいわなくても、新鮮な気持ちになれる、そういう人が傍にいるのは嬉《うれ》しいに決まっている。

知世だって、職場でそんな息抜きを見つけることぐらいは、可能だったのではないだろうか。たとえば、家庭が気詰まりなのなら。子どもに当たらなければならないくらいに、気持ちが追いつめられているのだったら。まだ、不倫でもしてくれていた方がましだった。

「ご近所などから見たら、ある意味で特殊なのかも知れません、夫婦揃って警察官というのはね。官舎住まいならともかく、普通の一戸建てに住んでるわけですし」

事実、添田夫妻は共に忙しかったせいもあるだろうが、地域の活動等にはほとんど参加しておらず、近所づき合いもなかったという話だった。貴子は、何年か前に知世からもらった転居通知を思い出していた。官舎を出て、憧《あこが》れのマイホームを手に入れて、これで子どものびのびと育てることが出来ると、そんなことが書かれていたと思う。

——お近くまでおいでの際は、是非ともお立ち寄り下さい。

確か、そんな決まり文句が刷り込まれていた。だが、貴子が現在の部署に異動になってからは、管内でもあったのに、実際に立ち寄ったことは、結局、一度もなかった。

「今、添田さんはどうしているんでしょうか」

「取りあえず、自宅待機だそうです。マスコミが動き出すかも知れませんしね、時期が時期だけに、また警察官の不祥事というくくりに入れられる可能性もありますし。被害者対策という意味からも、しばらくの間は、仕方がないでしょう」

「ご夫婦揃って、ですか」

「どちらか片方だけという問題でもないでしょう」

では今、夫婦は家の中で向き合っているということなのだろうか。息子が去った家で。小さい妹だけが残って。刑事罰が与えられないにしても、正真正銘の犯罪者の両親として。または、これから逮捕されるかも知れない妻と、その夫として。

想像するだけで嫌になった。その緊張感は、たとえようもないものに違いないと思っているとき、他の署員が会議室の扉をノックして、名川係長を呼んだ。彼女が「失礼」と部屋を出ていった後には貴子と西村だけが残った。

「——西村さんは、添田さんたちにはお会いになったんですか」

少しは気分を切り替えるつもりで話しかけてみる。西村は「はい」と頷いて、それからワイシャツの袖《そで》をめくって見せる。

「奥さんに引っかかれた痕です。係長の言葉じゃないですけど、本当に手がつけられないくらい暴れちゃって。あの体格ですから、力もかなり強くて」

西村の腕には、確かに生々しい引っかき傷が残っていた。あの知世が、こんな若い警察官に向かって本当に暴力を振るうとは。貴子は、ますます分からない気分で、ため息をつくしかなかった。

「児童相談所に、母親が乗り込んできてるそうよ。尚人くんを返せって騒いでるらしいわ」

慌《あわ》ただしい様子で会議室に戻ってきた係長が言った。西村が、弾《はじ》かれたように立ち上がった。

「まずいですよ！　そんなことしたら、子どもも本人も、ますます追いつめられるのにっ」

西村は会議室を飛び出していった。貴子は半ば呆然《ぼうぜん》と、その後ろ姿を見送っていた。騒いでいるのが知世であるということが、やはり信じられなかった。

6

昴一から帰国を知らせる電話が入ったのは、その数日後のことだった。日勤だった貴子は、珍しく早めに帰宅して、一人でつまらない食事を済ませ、ぼんやりとテレビを見ながら水割りを飲んでいた。受話器を通して聞こえてきた「チャオ」という脳天気な挨拶《あいさつ》に、貴子はただ浮かない声で「あら」と答えただけだった。

「どなた」

「おっ、ご挨拶だね」

「だって、連絡も何もないんだもの。もう帰ってこないのかと思ってた」

「何だよ、おい。待ちくたびれてるに違いないと思って、すっ飛んできたんだぞ。少し会わない間に、愛がさめたか」

暖房を強めに効かせた部屋で、薄手のジャージにTシャツ姿のまま、貴子はソファの上で膝《ひざ》を抱え込んだ。そんな甘ったるい言葉など、今の貴子にはまるで心地良くないと思った。

「イタリア女にでも熱を上げてるのかと思ってたわ。それで、小馬鹿《こばか》にされてビンタでもくらってるのかなって」

「すげえこと言うな。これくらいの間、会わないことなんか、珍しくないだろう。何だよ、どうした。やたらとご機嫌斜めじゃないか」

「だって、昂一がいない間、嫌なことばっかりだったんだから」

「お、いいねえ。貴子のそういう声を聞くと、帰ってきたって気がするよ。さあて、俺のサンドバッグとしての毎日がまた始まるぞ」

「サンドバッグになんか、してやしないじゃないよ。いつ、そんなことした？」

絡《から》んでいるかも知れない。それくらいは分かった。だが、自分一人では、もう抱えきれない気分だった。貴子はしばらくの間、拗《す》ねたりふくれたりしていたが、結局、昂一に少しずつ促されて、ぽつり、ぽつりと知世の件を話した。昂一は、途中で何度か話の腰を折り、自分も水割りを作ってきたり、キャッチホンを割り込ませたりしながら、それでも辛抱強く相づちを打ち続けていた。

「それで、貴子も児童相談所に行ったのか、そのとき」

「私は、行かなかった。だって、向こうだってそんな風に取り乱してる姿を、後輩の私になんか見られたくないに決まってるでしょう？」

「その後は、連絡は？」

「してない。何ていったらいいか分からないし、私自身、混乱してるのよ。あの先輩が、そんな風になってるなんて、見たくないっていうか――」

受話器の向こうから、ふうん、という声が聞こえた。久しぶりに聞いた懐《なつ》かしい声の、その響きだけで、貴子は不安を覚えた。昂一がそういう返事の仕方をするときは、貴子が必ず、何か彼の気に入らない、または貴子らしくない選択や行動をしたときのように思えるからだ。何か間違っているだろうか、判断を誤っただろうかと、酔い始めている頭が慌てて軌道修正せよと指令を出し、違う方向に動き出そうとし始める。

「大体、どんな顔をして会えると思う？　先輩は、私が初動捜査で現場と関わったことも知ってるのよ。次の日に電話をもらったとき、じゃあ、どうして知らん顔をしていたんだっていうことになるじゃない」

「仕事なんだから当たり前じゃないか。その段階じゃあ、まだ確証も摑《つか》めてなかったんだろう？」

「――そうだけど」

「相手だって同じ警察官なんだから、それくらいは少し考えれば分かるだろうが」

何だというのだ。やっと久しぶりに声が聞けたと思ったら、説教をするために電話をしてきたようではないか。筋違いの怒りを抱え、一方では情けない気分になって、貴子は「そうかも知れないけど」と、はぐらかそうとした。ここで昴一とまで喧嘩《けんか》をしたいとは思わない。

「まだ、捕まってないんだろう？」

「本人が、虐待《ぎゃくたい》の事実を認めてないもの」

「なるほどな」

「でも、時間の問題かも」

「そんな時に貴子が放っておいたら、その先輩も、先輩の家庭も、余計に社会から孤立するんじゃないか？　そうなったら、もっとでかい悲劇が起きる可能性だって出てくるんじゃないのか」

考えていなかった。膝を抱え、口をとがらせたまま、貴子は受話器を耳に押しつけていた。あまりにも正し過ぎる意見で、これでは言い返すことも出来やしない。少しは時差ぼけにでもなってくれていた方が良かった。

「様子、見に行ってやった方がいいんじゃないのか」

「──だって、親戚《しんせき》も身内もいるでしょう」

「親戚や身内がちゃんとしてたら、最初からそんな風にならないんじゃないのか」

「──」

「大丈夫か、刑事さん」

「――知らないからね」

「何が」

「先輩の方にかかりっきりになったら、昂一のことなんか放ったらかしにするから」

鼓膜を震わせる柔らかい笑い声が聞こえてきた。ついで「大丈夫だ、それは」という声。のれんに腕押し。貴子が何を言っても、昂一は動じることがない。それが分かっているから、貴子は安心して突っかかれる。久し振りの安らぎ。

「放ったらかしにされるのは慣れてるしさ、第一、俺はストーカーだから。ずうっと、つきまとってやるから」

「馬鹿。捕まえるわよ」

それからしばらくの間、昂一はイタリアの話をしてくれた。貴子の見たことのない世界、クリスマス間近のヨーロッパの話を、彼はあまり熱を込めずに淡々と語った。夜も大分更《ふ》けて、あくびが出てくる頃には、貴子は自分の表情がずい分ほぐれて、口元に笑みさえ浮かんでいることに気がついた。

「会いに行ってやれよ。正義の味方」

「分かったってば。ストーカー男」

翌日、貴子は思い切って知世の自宅に電話を入れてみた。だが、聞こえてきたのは留守番電話の無機的な応答だった。仕事は休んでいるはずだ。

——居留守？

それともまた児童相談所に行っているのだろうか。少し考えて、『青空キッズルーム』にも電話をしてみる。

「まあ、あのときの刑事さん」

こちらは、声だけで園長と分かる女性が、すぐに応対に出た。事件当日の動揺が嘘《うそ》のように明るい声で、彼女は芙有香ちゃんの葬儀も済んだし、他の父兄からの要望も多いので、数日前から保育園を再開したのだと言った。

「暗い声を出していては、子どもたちに与える影響もよくありませんでしょう？　ですから明るくね、することにしています」

だが、添田さとかの名を出すと、途端に声は暗くなる。そして、彼女は保育園をやめたと言った。当たり前の話だった。

「やめて、その後はどうするかなんていう話は、聞いていらっしゃらないですか」

「聞いておりません。それこそ、警察の方がお詳しいんじゃないんですか」

園長の最後の言葉には、わずかな皮肉とも、嫌みともつかない響きが含まれていた。

仕事だからというよりも、自分たちの仲間のことではないのかという、そんな雰囲気があった。

　こうなったら直接、訪ねてみるより仕方がない。だが、こちらにも仕事があった。貴子の仕事は一瞬先に何が起こるか予測もつかない。常に一定以上の緊張感を保ち続けている必要がある。そのためには、たとえ昴一からどう言われようと、ことに泊まりの日には、仕事以外のことにエネルギーを費やすことは極力、避けたかった。逃げ口上ではないか、自分を正当化するための言い訳ではないかと自問しながら、結局その日、貴子はそれ以上には動かなかった。

　年の瀬に向かって、ひったくりや泥棒などが増えていた。生活苦からの無理心中が起きた。受験が近づいた浪人生が、放火を繰り返して捕まった。酔っぱらい同士が殴り合い、二十代の無職の男性が下着泥棒で捕まった。一歩でも外へ出れば、巷《ちまた》には小悪党が溢《あふ》れているように感じられた。それらに追いまくられ、その合間に実家に行ったり日常の雑務をこなすうちに、昴一にさえ会えないまま、さらに数日が過ぎてしまった。

「おい、これ見た？　どこから洩《も》れたのかな」

　明日の休日こそ知世の家を訪ねてみようと思っていた矢先の、またも夜勤明けの朝だった。ウツボが一冊の週刊誌を貴子の前に差し出した。【保育園児を「過《あやま》って死なせた」小二少年の両親の職業】という見出しと、実際の事件の現場とは異なる公園の風景写真とが、貴子の目に飛び込んできた。貴子は飛びつくようにして、その記事を読んだ。

氏名は出されていなくとも、事件のことは、かなり細かく書かれていた。その上、少年が母親の虐待を受けて育ったらしいこと、人格の形成に深刻な問題を抱えていることなどまでが書かれていた。知っている人が読めば、すぐに分かってしまう内容だ。しかも、両親は揃《そろ》って警察官であるということも、はっきりと書かれている。

——こんな風に追いつめたら。

貴子は記事を読みながら、頭に血が上るのを感じた。一体、誰がこんな情報をマスコミに流すのだろうか。こんなことならば、もっと早く時間を作って、知世を訪ねてみるべきだったと、様々な思いが渦を巻いた。明日までなどとは言っていられない。貴子は寝不足のまま、すぐに知世の家に向かうことにした。

住所だけは何年も前から知っている家だったが、実際に訪ねてみると、『青空キッズルーム』にも近く、すぐ傍《そば》を通る幹線道路などは、ほぼ日常的なくらいに利用している辺りだった。車が一台通るのがやっとという感じの道に沿って、こぢんまりとした家の立ち並ぶ、静かな一角に、「添田」という表札のかかった家はあった。こちらが、そういう目で見るせいか、どこかひっそりとして淋《さび》しげな家に見える。荒れているとまでは思わないが、とはいうものの、小さな子どものいる、活気に溢れた雰囲気というものが伝わってこない。

このままインターホンを鳴らそうか、それとも、一旦《いったん》、携帯電話で呼んでみようかと迷っていた時だった。家の中から激しい泣き声が聞こえてきた。明らかに小さな子どものものと分かる、火がついたような泣き声だ。同時に、ばたん、と音がして、隣の家から不安げな表情の女性が顔を出した。貴子の姿を認めると、慌てたように顔を引っ込めかけて、また迷ったように出てくる。貴子は小さく会釈《えしやく》をしながら、その女性に近づいた。

「ああいう声は、よく聞こえるんですか」

知世の家を視線だけで軽く示しながら、貴子は門の傍まで出てきた主婦に警察手帳を指し示して話しかけた。黒い手帳を見ただけで、子どものお下がりでも着ているのか、妙に幼稚っぽいデザインの、ピンクのトレーナーにジーパン姿の主婦は怯《おび》えたような表情になり、神妙な様子で「最近、またなんです」と答えた。四十代の後半くらいだろうか。

「最近、また？」

「上の男の子が保育園の頃は、結構よく聞こえたんです。ご夫婦揃って警察官て聞いてましたから、厳しく育ててるのかしら、とは思ってたんですけど。でも、ああいうことがあったでしょう？　だから、あらまあって思ってたら、またから——今度は下の子、なんじゃないかしらねえ。だって上の子は、ほら、どこか施設に入れられたんでしょう？」

不安げでもあり、興味津々《しんしん》にも見える茶髪の主婦の顔を見つめながら、貴子は内心でひやひやしていた。情報の恐ろしさを思い、一方で、さとかが気になってならない。まさか、今度はさとかが犠牲になっているというのだろうか。知世は、そんなにも自制が利《き》かなくなっているのだろうか。貴子は、何か問いたげな表情の主婦に軽く礼を言うと、再び知世の家に向かった。泣き声は、もう聞こえていなかった。今度はためらわずにインターホンを押す。一度押しても応答がなかった。門扉《もんぴ》の隙間《すきま》から、家の方に顔をのぞかせて、もう一度、押す。今度は、大分たってから、「はい」という小さな声が応《こた》えた。知世の声に違いなかった。貴子は隣家からの視線を感じながら、「音道です」と名乗った。

「開けてください、先輩」

「あ――今、ちょっと取り込んでるものだから。悪いけど」

「お願いします。開けてください。私、お詫《わ》びにきたんです」

詰問《きつもん》口調になっては、ただでさえ警戒心をあらわにしている人間は、決して扉を開かない。だが、こちらが謝りたいと言うと、心当たりのない人間でさえ、なぜだか話を聞く気になるらしい。それが、刑事としての経験が培《つちか》った、貴子の知恵だった。

「お詫びって、何のこと」

少しして、ようやく玄関を開けた知世は、少し会わない間に、別人のように面変わりしてしまっていた。やつれたというよりも、逆にむくんだような色の悪い顔をして、彼女は、髪を乱したまま、虚《うつ》ろな暗い瞳《ひとみ》でこちらをまともに見ようともしない。

「この間、電話をいただいたときのことです」

玄関に足を踏み入れ、ドアを閉めたところで、貴子は立ったまま話を始めた。ジャージにトレーナー姿の知世は、貴子にスリッパをすすめようともせず、下駄箱《げたばこ》にもたれるようにして立ちはだかっている。

「――本当のことが、言えませんでした。知世先輩が、『事故だったんでしょう』って言ったとき」

知世は、初めてこちらを見た。貴子は背中に力を入れ、顎《あご》を引いて知世の視線を受け止めた。そうしなければ、受け止めきれないと思うほど、知世の様子は一見して異様だった。その瞳には、ある種不気味な炎が燃えて見えた。彼女は挨拶《あいさつ》の言葉さえ口にせず、機械じかけのように、唇だけを小さく動かした。

「——仕事だったんでしょう。仕方がないじゃない」

「それは、そうです。でも、それ以上に——信じられなくて」

そこで初めて、知世はこちらを見た。貴子は余計に自分の背が反るのを感じた。恐怖に近い緊張が、全身を強張《こわば》らせた。

「オト、あんた、まさか周りの言うことなんか信じてるわけじゃないでしょうね。私が子どもを虐待してるとか、そんな話、信じてるわけじゃないわね？　それで、うちの尚人が心のバランスを崩したとか、人格が壊れてるとか、そんな根も葉もない言いがかりを」

貴子は言葉を失ったまま、知世を見つめていた。彼女は、急に身を乗り出してきたかと思うと「嘘なんだからっ」と悲鳴のような声を上げた。

「何もかも、嘘なんだからねっ。尚人が、そんなことするはずないんだし、第一、どうして私が自分の子を虐待なんかすると思う？　ねえ、オトなら分かるでしょう？　私がそんなことする人間じゃないって、オトだったら信じてくれるでしょう！」

あまりの勢いに後ずさりしそうだった。貴子は、ただ知世を見上げているしかなかった。

そのとき、廊下の突き当たりから、小さな女の子が顔を出した。さとかに違いないと思いながら、必死で視線を動かして、貴子は今度こそ言葉を失った。小さな顔は、口の端に痣《あざ》を作り、瞼《まぶた》を大きく腫《は》らしているではないか。貴子の視線に気づいたのか、知世がくるりと振り返った。

「お客様だから、出てきちゃ駄目って言ったでしょうっ」

知世が大きな尻《しり》を振って、さとかに近づいていく。貴子は咄嗟《とっさ》に「先輩っ」と声を上げていた。

「やめてください、先輩！　一体、どうしちゃったっていうんですかっ」

言うが早いか靴を脱ぎ、貴子は家に上がり込んで知世の腕を摑《つか》んでいた。ストッキングを通して感じる、埃《ほこり》っぽく、ひんやりとした廊下の感触が、心まで震えさせそうだった。

「どうもしないったら。何、言ってるのよ」

知世は額にうっすらと汗を浮かせて、無理に笑うような顔で答えた。

「じゃあ、さとかちゃんの、その顔は何なんです」

狭い廊下でもみ合うようにしながら、貴子は知世と向き合った。知世は驚いたような顔で貴子を見つめ、ついで、我が子の方に目をやる。

「その顔って——知らないわよねえ。お母さんの知らない間に、どうしたの、さとか。うん？　どうしたのか、言ってごらん」

「——転んだ」

消え入りそうな小さな声が、呟《つぶや》いた。貴子は信じられない思いで小さな少女を見つめていた。ついこの間、ぴょんぴょんと飛び跳ねながら喋《しゃべ》り続けていた子だった。それが別人のように無表情になって、明らかに嘘と分かる言い訳をする。母親を庇《かば》って。恐怖にがんじがらめになって。

「ほら。子どもがそう言ってるんだから。オト、あんた、何、心配してるわけ」

廊下には古新聞や雑誌が積み上げられ、ビールケースや空の一升びんまでも並んでいて、さらに狭くなっている。片隅には踏みつぶされたようなスリッパが転がっていた。生活の匂《にお》い。温《ぬく》もりでなく、埃だらけの。

「先輩——」

自分が泣きたいのか怒りたいのかも分からなくなりそうだった。むくんだ顔で不敵にこちらを見据えている知世を、貴子は心の底から哀れだと思った。

「いつから——そんなに辛《つら》くなっちゃったんですか。添田さんとは、話し合っていないんですか」

知世の瞳がわずかに動いた。素顔を見るのが久しぶりだからか、こんなに近くで向き合うこと自体が初めてに近いからだろうか。知世の顔にはシミが目立ち、眉間《みけん》にはひびが入ったような皺《しわ》が刻まれていた。

「お父さん？　どうして、あの人が出てくるの。あんな——勝手な人が。何でもかんでも私のせいにしたかと思ったら、今度は、さとかを実家に連れて行くなんて言い出すような人——私から子どもを取り上げることばっかり考えてるような人が」

「あの——今は」

「だから、いないったら。車で迎えに行ったのよ。実家の姑《しゅうとめ》を——ああ、掃除をしなきゃいけないいんだった」

不意に、知世ははっと気がついたような表情になって、辺りを見回した。それから、まるで貴子の瞳の中に本物の自分が映っているのではないかというような様子で貴子の顔をのぞき込み、眉間の辺りを微《かす》かに震わせて、「今更、だわね」と愛想笑いを浮かべて、肩をすくめる。

「また、怒られちゃうけど。しょうがないのよね、私が悪いんだから。あの人も本当、色々と大変なのよ。仕事も忙しくなる一方だし、責任も重くなるでしょう？　とにかく真面目《まじめ》な人だから、何をするのでも一生懸命で、その上、女房がこんな風だから」

貴子は哀れな先輩を、ただ見つめているより他なかった。すると知世は、また表情を変え、猛々《たけだけ》しく眉根《まゆね》を寄せて「何よ」と呟いた。

「本当は、何を見に来たのよ。そうやって、周りの人やマスコミに踊らされて、私を責めにきて、そんなに楽しい？　ああ——もしかして、あんたがネタを流したわけ？　何の恨みがあって？　まさか、あの時の記者も、あんたが来させたんじゃないでしょうねっ！」

こういう類《たぐい》の恐怖は初めてだった。だが、とにかく今は、さとかを守ってやらなければならない。そのためには、すぐに追い返されてなるものかと、それだけを自分に言い聞かせていた。

7

知世の家の中は荒れていた。貴子は先月扱った、四歳の男の子の折檻《せっかん》死の現場を思い出していた。あのアパートの室内にも、物が溢《あふ》れかえっていた。子どもの玩具《おもちゃ》などはほとんど見あたらず、目についたのはコンビニエンスストアの袋や食料品の容器、空き缶や煙草《たばこ》の吸い殻などで、散らばっている衣類は洗濯済みなのか汚れているのかも分からない状態、その中に、変わり果てた姿の幼児の遺体があった。

あそこまでひどくはなかったが、知世の家も一見して、掃除が行き届いているとは言い難く、家具も電化製品も、すべてが埃を被《かぶ》って艶《つや》を失っているように見えた。貴子は自分から申し出て台所に立ち、流しにたまっていた食器を洗い始めた。知世は「ありがとう」とは言ったものの、どこか心ここにあらずといった様子で、ぼんやりとしていた。

「先輩、疲れてるんじゃないんですか？」

「──そうかも、しれない」

「無理、し過ぎたんじゃないですか？」

「──そうなのかしら」

流しに向かいながら、貴子はとにかく話しかけ続けた。時折は振り返って相手の顔を見る。その都度、知世は姿勢一つ動かさず、常に虚ろな表情で、一点を見つめているばかりだった。

「先輩らしく、ないですよ。私に手伝えることがあったら、何でもしますから」

しばらくすると、背後からすすり泣きが聞こえてきた。今度は、貴子は、振り返ることが出来なかった。その泣き声がとぎれるまで、知世の方から何か話し出すまでは、ずっと流しに向かっているしかないと思った。

「どこで――失敗しちゃったのかなあ」

やがて、深々としたため息とともに、小さな呟きが聞こえた。

「夫も、子どもも何もかも、大切にするつもりだったのに――でも、やっぱり、私は結婚なんかするべきじゃなかったのかなあ――そう思うから、余計に腹がたったのかなあ――」

そんなことを今更言ったって、仕方がないではないか。現に、この世に生まれてしまった子どもがいるではないかと言いたかった。だが、何を話すにしても、もう少し知世が落ち着くのを待たなければならないと自分に言い聞かせる。洗うべき食器がなくなると、今度はクレンザーでシンクを磨く。それが終わったら、ガスレンジも掃除する気になっていた。

「オト――悪いけど」

数分後、知世が初めて貴子を呼んだ。貴子は出来るだけ何気ない表情を作って振り返った。意外なことに、知世はさっきよりもずい分、柔らかい表情になっていた。まるで憑《つ》き物が落ちたようだと、一瞬、思った。

「ちょっと、頭が痛くなってきちゃった。悪いんだけど、少し二階で休むから、あの子、見ててもらえない？　昼過ぎには、お父さんも帰ってくると思うから」

「薬は、あるんですか」

「少し休めば、大丈夫——このところ、ほとんど眠れなかったから、そのせいだと思うんだ。悪いわね、本当」

知世はゆっくりと席を立ち、それから改めてこちらを見る。

「——ありがとうね。まさか、あんたに世話になるなんて、思わなかった——オト、あんた、強くなったわね」

「そりゃあ、色んな経験、してますから」

貴子は無理に微笑《ほほえ》んだ。知世は「うらやましいわ」と微笑みを返し、よろめきそうになりながら、ゆっくりと部屋を出ていった。すると、まるで母親の姿をどこかから見張っていたかのように、物陰から、さとかが現れて、そっと貴子の隣に立った。

「おばちゃんのこと、覚えてる？」

貴子は濡《ぬ》れた手のまま、わずかに身を屈《かが》めてさとかの顔を覗《のぞ》き込んだ。瞼を腫らし、口の端も切っているらしいさとかは、何の反応も示さない。

「『キッズルーム』で、ついこの前に、会ったんだけどな」

さとかの、腫れていない方の目がわずかに揺れた。それから彼女は右手で貴子のジャケットの裾《すそ》を摑み、もう片方の手を口元に持っていって、しきりに指をしゃぶり始めた。

「——お母さんに、ぶたれたの？」

まだ、知世が部屋の外にいるかも知れないと思った。貴子はわざと温水を流し、水音で聞こえないようにしながら、さとかの小さな肩に手を置いた。

「怖くないから、本当のこと、言って。さとかちゃんは、何も悪くないんだから、ね？」

さとかは反応しない。

「おばちゃんが、守るから。もう痛くしないでって、お母さんに頼んであげるから」

親指をしゃぶりながら、さとかはただ宙を見つめている。

「ねえ、さとかちゃん」

「——お母さんが、ぶつ。さとかが嫌いだからって」

小さな頼りない呟きが聞こえた。青みがかった白目が見る見る潤《うる》んで、大粒の涙がこぼれ落ちた。貴子は、思わずさとかを抱き寄せた。小さな生命《いのち》が震えている。

「嫌いなんかじゃないってば。でも、お母さん、ちょっと病気なのかも知れないね」

耳元に小さな嗚咽《おえつ》が聞こえて、首筋を生暖かい涙が濡らした。たった数度の季節しか経験していない子どもだった。そんな子どもが、なぜ、大人以上の苦しみを味わわなければならないのかと思う。それも、母親によって。

「お母さんに、元気になってもらおう。それで、さとかちゃんをぶったり、しないようになってもらおうね」

「お母さん――怖いよぉ」

もらい泣きしてしまいそうだった。どうしても、知世の気持ちが分からないと思った。さっきの知世は、貴子の知っている先輩とは別人にしか見えなかった。だが、これは現実だ。現に、ここで傷つき、泣いている幼女がいるのだから。

「本当は、お母さんはさとかちゃんが大好きなんだから。でも、お母さんは病気なのよ。だから、お母さんが元気になるまで、待とうか、ね」

小さな背中をさすりながら、何とか自分の中で言葉を探し続けた。大丈夫。怖くないから。もうすぐ、お父さんが帰ってくるから。

まるで時間が止まっているような家の中だった。実際には、そろそろ昼になろうという頃なのに、家の中は全体に薄暗くて、ひっそりと静まりかえったままだ。小さな子どもがいる家特有の、どこか賑《にぎ》やかな雰囲気を、この家はまるで持っていなかった。

「おばちゃん」

社会人になってからというもの、こんな小さな子の相手をしたことがない。保育など学んだのは遠い過去だ。今となっては、どう扱えば良いのかも分からなかった。この際、お菓子でも食べさせるのが良いだろうかと考え始めた頃、初めてさとかが貴子を呼んだ。貴子はできるだけやさしい声で「なあに」と答えた。

「さとかが死ねばよかった？」

「――どうして」

「お母さんが、そう言った」

心臓を鷲摑《わしづか》みにされたかのようだ。貴子は思わずさとかを見つめたまま、言葉を失いそうになった。

「――嘘《うそ》よ。そんなはず、ないじゃない。お母さん、さとかちゃんのこと、からかったのよ」

「でも――ぶったよ。痛くした」

さとかの長いまつげは、まだ涙で濡れて束になっていた。貴子は初めて明確に、知世を責めたい気持ちになっていた。言葉も見つからないまま、ただきとかの小さな頭を撫《な》でていると、何の前触れもなく玄関の方で音がした。助かった。

「よかった。お父さんかな」

思った通り、グレーのズボンに黒いダウンジャケット姿の添田が入ってきたところだった。貴子に気づくと一瞬、驚き、警戒する顔になる。貴子は慌《あわ》てて名乗った。すると、添田はあからさまに不快そうな硬い表情のままで「ああ」と言いながら、のろのろと靴を脱いだ。

「誰の指図ですか」

それが、最初のひと言だった。

「誰の指図でもありません。私がどの部署にいるか、ご存じでしょう」

添田は、どこか投げやりな口調で「そういえば」と呟き、そのまま奥へ向かって歩き出す。仕方なく、貴子も後に従う格好になった。キッチンを通過する。ダイニングテーブルにはさとかがいた。だが添田は、小さな我が子に声をかけることもせずに、そのまま奥のリビングルームに抜けてしまった。エアコンのスイッチを入れ、脱いだダウンジャケットをソファの上に投げ出して、彼は深々とため息をつきながら、ソファに身を沈める。

「女房、いないんですか。また、馬鹿《ばか》なことしでかしてるんじゃないだろうな」

「――先輩、頭痛がするとかで、二階に行きました」

返事の代わりに小さな舌打ちが聞こえた。そして、テーブルの上に置かれた新聞に手を伸ばす。貴子は少しの間、そんな添田の動作を観察していた。あらゆる疑問が渦を巻いている。なぜ、我が子に「やあ」とさえ言おうとしないのだろう。なぜ、さとかのことを無視するのだろう。なぜ、こんなに冷ややかな雰囲気しか持っていない人なのだろう。

「ご実家においでになったんじゃないんですか」

「あなたは、いいな」

見当違いの返事が返ってきた。貴子は口を噤《つぐ》んで添田を見守った。

「僕は下手をすると、年内にも警察を辞めなきゃならないかも知れません」

「――上から言われたんですか」

「進退伺いを出すようにね」

ため息が聞こえた。そしてまた舌打ちの音。

「まったく、何ていうことをしてくれたんだか」

「それは、誰に対する言葉ですか」

添田は、そこで初めて顔を上げ、貴子の方をまともに見た。十年足らずの歳月が、彼の顔からいくつかのものを奪い、いくつかのものを貼《は》りつけていた。失われたものは、若さ、夢、愛情。加わったものは、欲と鼻持ちならないプライド、年齢。

「尚人くんですか。知世先輩ですか」

「決まってるでしょう、尚人なんて、まだ七歳だ。分別なんかついてるはずがないんです」

「じゃあ、知世先輩ですか」

添田は心の底から忌々《いまいま》しげな顔でこちらを見て、ふん、と鼻を鳴らした。

「幼児虐待《ぎゃくたい》ですよ。警察官の妻が。自分だって現職なのに。どれほどの信用を失墜させたと思ってるんです。僕だけじゃない、警察組織そのものだって、ただでさえこの風当たりの強い時に——」

「うちの組織のことなんか、どうでもいいじゃないですか。知世先輩が、どうしてそうなったか、考えたことはないんですか」

「警察官の家庭が、その辺のサラリーマンや普通の地方公務員の家のようにいかないことくらい、理解出来んはず、ないでしょう。お宅にだって、経験がないわけじゃないでしょう?」

「私だって結婚に失敗している口ですから、分からないわけじゃありません。けれど、じゃあ、うちのカイシャの人が全員、結婚に失敗していますか？　共稼ぎの夫婦が全員、子育てに失敗していますか？」

「それは、妻がきちんとしているからでしょうが」

「どうして妻だけなんです。二人とも働いてるんだから、夫にだって責任があるじゃないですか」

苛々《いらいら》が募ってくる。だが添田も、貴子と同様に苛立ち始めているのが手に取るように分かった。彼は顔を紅潮させ、眦《まなじり》を上げて、こちらを睨《にら》みつけていた。

「子どものいない人には分からないかも知れませんがね、子どもが小さいうちは、必要なのはほぼ百パーセント、母親なんですよっ。子どもにとっては、母親がすべてなんです！」

「その母親が、どうして最愛の子どもに暴力を振るわなきゃならなくなるか、それが夫の責任だとは、思わないんですかっ」

背後から、細く頼りない泣き声が聞こえてきた。貴子は慌ててダイニングルームの方を振り返った。さとかが、小さな背中を折り曲げて、テーブルに突っ伏して泣いている。貴子は小走りにキッチンに戻り、泣いているさとかを抱き上げて戻ってきた。さとかは、力のこもらない弱々しい声で泣きながら、貴子の首にしがみついていた。

「大体、添田さんは何の興味もないんでしょう？　知世先輩にも、子どもたちにも」

そんなことがあるものかという低い呟《つぶや》きが聞こえた。そして添田は立ち上がって、貴子の腕からさとかを抱き取ろうとする。ところがその途端、さとかは今度こそ、火がついたように泣き出した。貴子の首に回した手に力がこもり、甲高い声が鼓膜をびりびりと刺激した。

「いやがってるじゃないですか、こんなにっ」

その声にかき消されまいと、貴子も思わず怒鳴っていた。

「あなたは、まるで頼りにされてないじゃないっ。妻にも、子どもたちにも！　だから、こういうことになったんじゃないんですかっ」

ひゃあ、ひゃあ、というような泣き声だった。貴子は懸命になって小さな背中をさすり続けていた。この寒い季節でも、汗がにじんでくる。興奮しているばかりでなく、それくらい子どもは熱く、また、抱き続けるにはエネルギーが必要だった。

「さっきだって、添田さんは、この子に声のひとつもかけてやって下さらなかったじゃないですか。素通りするだけ。何もかも、知世先輩に任せっぱなしにして、自分は何もしなかったんでしょう？　だから、子どもたちが怖い目に遭ってることだって、気がつかなかったんじゃないですか！」

もしかすると殴られるかも知れないと思った。だが、幸いなことにさとかがバリケードになってくれていた。添田は仁王のように顔を真っ赤にして立っている。

「この子の顔を、ご覧になりました？　見てあげてください、ほら」

いやいやをするさとかの顎《あご》に指をあてて、力ずくで父親の方を向かせる。その顔を見て初めて、添田は「どうしたんだ」と呟いた。

「どうしてさっき、真っ先に気がついてあげないんです。ちらりと見るくらいも、してあげてないっていうことじゃないですか。だから、たとえば知世先輩が心のバランスを崩してたとしたって、子どもたちはあなたを頼ることも出来なかったんです」

さとかにしがみつかれたまま、貴子は自分の方が興奮して、声が震えるのを感じていた。これが犬や猫だったら、「私が育てる」と言い切って、さっさと連れて帰りたい。だが、相手は人間の子どもだった。そんな勝手なことは出来るはずがない。

「あなたが、先輩を追いつめたんじゃないですかっ。最低っ。警察なんか辞めて当然だわ！」

添田は顔を紅潮させたまま、しばらく呆然《ぼうぜん》としているようだった。こんな大声を出したのは久しぶりだ。貴子は呼吸を整え、そんな添田を真っ直《ま》ぐ《す》に見据えた。

「先輩が、あなたと結婚するって言ったときに、もっと反対すれば良かった」

添田の頬がぴくりと動いた。

「――そう思うんなら、知世が自分で言えばいいじゃないか。何も後輩の君なんかに、しかもこんな時に言わせなくても」

「言えない性格だから、バランスが崩れたんじゃないですか。私にも誰にも言えないから、自分の中にため込んだんじゃないですか。そんなことも分からないんですか」

我ながら、言葉がきつすぎると思う。だが、こんな男に後からどう思われようと知ったことではなかった。

「どうして、話を聞いてあげようとしないんです、今が最後のチャンスかも知れないのに。尚人くんだって、いつか戻ってくるんですよ。そのときのことなんか、もっと相談しなくていいんですか」

添田の喉仏《のどぼとけ》が大きく上下している。貴子は、思わずさとかを抱く腕に力を込めながら、先輩の夫を睨みつけた。生まれて初めてまともに会話するというのに、それがこんな場面だとは。きっと、この男とは生涯、まともに会話など出来ないに違いない。

「子どもさえ遠ざければ、問題が解決できると思ったら大間違いですからね。この家は、もうとっくに壊れてるんですから」

添田の、眼鏡の奥の小さな目が、一瞬、四角く見開かれた。彼は、震えるような息を大きく吸い込むと、「知世っ」と怒鳴りながら、リビングを出ていってしまった。

貴子は、さとかを揺すりながら、その後ろ姿を見送った。

「もう、怖くないからね。びっくりさせて、ごめんね」

何とか口調を変えて囁《ささや》きかける。さっきから気づいていたことだが、さとかの頭は汗くさかった。もしかすると、まともに入浴もさせてもらっていないのかと思う。余計に憂鬱《ゆううつ》になる。

ものの一分もたっていなかったと思う。どすどすと階段を駆け下りる音がして、慌てた表情の添田が戻ってきた。

「——救急車を、頼みます。知世が」

首を吊《つ》った、という声を、貴子は遠くに聞いた。とにかく抱いている子どもを落とさないようにするだけで、必死だった。

知世が息を引き取ったのは、奇《く》しくもクリスマスイブの夜明け前だった。貴子は勤務中だったが、添田から機捜の分駐所に連絡が入り、大下係長の配慮で病院に駆けつけることが出来た。

人気のない長い廊下を、靴音を響かせて走ると、添田がぽつりと立っていた。すっかり面やつれして、無精ひげを生やした彼は、貴子の姿を認めると「ご苦労様です」

と呟いた後で、がっくりとうなだれた。涙は、なかった。貴子も泣かなかった。黙って病室に入り、チューブや機械を外された知世と再会した。覚悟はしていた。下手に一命を取り留めても、脳に重篤《じゅうとく》な障害が残るだろうとも聞かされていた。それでも、何もこんな日に逝《い》かなくたってと思う。いや、今日だからこそ、かも知れない。クリスマスイブは、芙有香ちゃんの誕生日だった。知世は息子の罪を償うつもりで、その日を選んだような気がした。

——先輩らしい。けど、そんなことで償えるなんて思ってたとしたら、先輩、相当に馬鹿ですよ。本当の、大馬鹿。

まだ温《ぬく》もりの残る知世の遺体に触れながら、貴子は最後の別れをした。

——逝った子は帰らないんだから。たとえ先輩が生命《いのち》を投げ出したって。

もっと何か出来たのではないか。せめて、あの日、もっと早く気づいてやるべきだったのではないか——。考えればきりがない。それは、添田にしても、おそらく同じことだった。所詮《しょせん》は二人とも、知世にとっては最後まで他人に過ぎず、そして、何の力にもなることは出来なかったということかも知れない。彼女のすぐ傍《そば》まで行きながら、その危機を感じ取ることとさえ、出来なかったのだ。

——自分でも、もうどうすればいいか分からない。疲れました。尚人、さとか、本当にごめんなさい。お母さんは、すべてに失格です。悪いのは、全部、私です。

知世の走り書きの遺書には、そう書かれているだけだった。貴子のことどころか、添田のことにさえ、まるで触れてもいなかった。これで、知世が子どもたちに加えていたと思われる虐待の実態も、知世の心情も、何一つとして分からなくなってしまった。知世は、すべてに対して口を噤《つぐ》み、ついでに母であり続けることも、妻であり続けることも、何もかもを放棄して、勝手な理屈で自らを罰してしまったということなのかも知れない。

「——これから、考えてみます。あの日、あなたから言われたこと」

病室から出たところで、添田が言った。

「考えても、あれが戻ってくるわけじゃありませんが——僕まで父親をやめることは、出来ませんから。せめて、いつかは子どもたちにちゃんと説明できるように、ならないことには」

「今、さとかちゃんは」

「僕の実家で、おふくろたちが見てくれています。さとかは——僕とは会いたくないと言ってるらしくて。僕の人生は——何だったんですかね。本当に——」

薄暗い廊下に、すすり泣きが広がった。男がこんな風に泣くところを、貴子は初めて見たと思った。これから一生、クリスマスイブは、この事件と知世のことを思い出す日になるのだろう。そして、添田のすすり泣きも思い出すのに違いない。

「嫌なクリスマスになっちまったな」

病院の駐車場に戻ると、八十田が眠らずに待っていてくれた。貴子は凍りつきそうな空気の中から、再び暖かい車に乗り込み、ほうっとため息をついた。朝が来る。東の空が、徐々に朝焼けに染まろうとしていた。

「まあ、彼氏とクリスマスデートでもして、早く忘れることだ」

「駄目よ。今夜はお通夜《つや》だもの。で、明日が告別式」

つい、ため息が出る。それでも、文句を言う筋合いではなかった。

――生きてるから。これからも、生きるから。

そうして季節を積み重ねていく。自分は絶対に自ら、そんな季節を放り出したりはしない。八十田が車を発進させた。貴子は助手席から、黙って夜明けの街を眺めていた。本当は、やはり悔しくてならなかった。最後には、この悔しさだけが記憶に残る、それが、今年のクリスマスになるのかも知れないと思った。

陽が高くなった頃、貴子は疲れ果てて自分のマンションに戻った。ドアの前に、巨大な包みが置かれていた。

〈あんたの仕事のパートナーから電話があったよ。今夜は通夜だそうだから、取りあえず、先にこれだけ届けます。不精者でも、一年中、あなたの傍に〉

添えられているカードには、四角い大きな文字でそう書かれていた。何のことだか。貴子は、大きな重い包みを抱えて、マンションのドアを開けた。

――ここにも、大馬鹿《おおばか》がいる。

包みから出てきたのは、一メートル以上はあると思われる、パンツ一枚の、白ひげの老人の人形だった。それに、サンタクロースの衣装を始め、他にもあと何種類かの服が添えられている。パジャマ。タキシード。つりズボンに、地味な柄のワンピースとエプロン。それらの衣装の中から、バニーガールの衣装を見つけ出して、貴子は思わず、声を出して笑ってしまった。こんな格好をさせられるサンタクロースも気の毒だが、これで、クリスマス以外の季節にも、しまう必要もないということだ。メモの意味が、ようやく分かった。

笑いながら、さて、どの衣装から着せてやろうかと考えているとき、さとかのことが思い出された。あの小さな女の子は、今頃はどこで、どんな思いでクリスマスイブの朝を迎えていることだろうか。結婚はともかく、子どもくらい産んでおいても良いかも知れないと、ふと思った。思いながら、貴子は白ひげの老人に、取りあえず型通りのサンタクロースの格好をさせた。殺風景な部屋に、赤い服を着た、中途半端《はんぱ》な大きさの老人が現れて、部屋は少しだけ、暖かく感じられた。

よいお年を

練

1

冬の陽射《ひざ》しの中で、無数の埃《ほこり》が踊るように舞っている。何とも長閑《のどか》に感じるものだと、それをしばらく眺め、再び押入に頭を突っ込もうとしたとき、階下から母の呼ぶ声がした。またた。音道貴子は振り向いただけで「なあに！」と答えた。

「ちょっと来て！」

さっきから何度こうして仕事を中断させられていることだろう。用があるのなら一どきに言えば良いのに。

「ねえ、お姉ちゃん！」

はいはい。もう。埃のついたジーパンの膝《ひざ》を軽く叩《たた》きながら、貴子は母の待つ階下へ下りた。

「悪いけど、あれ、取ってもらえない？　あの、銀色の」

台所で待ち構えていた母は、食器棚の上に積み上げてある箱の一つを指した。それくらいのことで人を呼ぶなと言いたかったが、そんなことを口にすれば、答えは分かっている。だって、お父さんが怪我《けが》をして、その上お母さんまで落ちて怪我でもしたらどうするの。年越しどころじゃなくなるでしょう。

ちらりと居間の方を見ると、父は一人で碁盤に向かっていた。年末年始の休暇に入ってすぐ、庭木の手入れをしている最中に脚立《きゃたつ》から落ちて足をくじいたという。お陰で、貴子の暮れの予定は大幅に狂うことになった。今日は今年最後のツーリングをして、帰ってからバイクを丁寧に掃除するつもりだったのに。

小さな脚立に上って母の指す箱を下ろしてやると、母は早速箱のフタを開けて「あら」と言う。

「これじゃなかった。どれだったかしら。ちょっと、他のも取ってくれない？」

「何、探してるの」

「お昆布《こぶ》」

言われるままに、いくつかの箱を下ろし、中身を確認してまた戻す。結局、山積みになっている箱の中に目指す昆布は見つからなかった。母は「どこにしまったのかしら」と当惑した顔で、今度は他を探し始める。貴子はまた二階に戻って大掃除の続きを始めた。

今日は早朝から来て、家中のガラス拭《ふ》きにエアコン、電気の笠《かさ》、洗面台と手洗いの掃除をした。そして昼食を済ませてからは、二階の客間の押入を整理している。最近、通信販売に凝り始めて、妙な家電製品や健康器具などを買うようになった母が、その収納場所に困って、数年前に引っ越してきて以来、何が詰め込まれているか分からないままだった押入をすっきりさせて欲しいと言い出したからだ。

「お姉ちゃん、ちょっと、お願い！」

しばらくすると、また呼び声がかかる。思わずため息が出た。つい、妹たちが恨めしくなる。だが、下の妹は友だちと海外旅行に出かけてしまったし、上の妹は新婚と来ている。身軽なのは貴子だけだった。

「これ、開かないのよ」

今度は、栗《くり》の甘露煮の瓶詰めを差し出された。

「これくらい、お父さんに開けてもらえばいいじゃない。手は何ともないんだから」

「お父さんも開かないって」

どれ、と瓶を受け取り、金色の蓋《ふた》を捻《ひね》ると、少し力を入れただけで蓋は容易に開いた。母は目を丸くした。

「大したもんねえ」

「他にも開けたいものがあったら、今のうちに言って。全部、片っ端から開けてあげるから」

母がくすくす笑いながら、急には思いつかないわと言っていると、父が「おい」と声をかけてくる。

「庭の物置、解体しておいてくれないか。ほら、古い方の」

そういえば、家にはもともと物置があるのに、これもまた通信販売で母が巨大なものを買ってしまったと聞いていた。取りあえず、父が組み立てて荷物は入れ替えたが、古い方をまだ解体せずに放置してあるというのだ。

「押入は？」

「ああ、だったら物置の方がいいわ。あんたに向いてる」

まったく、娘に物置の解体までさせるのか。貴子は半ば呆《あき》れながら、今度は軍手をはめて庭に出ることになった。古い物置の全体を見回し、使ってある金具が主に六角レンチと開口スパナを使用することを確かめてから、手早く片づけ始める。さすがに冬の空気は冷たくて、いくら動いても汗ばむということがなかった。

この家は、貴子が結婚した後で越してきたものだから、貴子自身は、あまり馴染《なじ》んでいない。近所にも、これといった知り合いがいるわけではなかった。それでも、こうしていると方々から畳を叩いているらしい音や、庭木を伐《き》る音などが聞こえてきた。昔ほど大がかりな掃除をする家が減ったとはいえ、やはり新興住宅地なりに暮れらしい風情《ふぜい》が漂うものだった。

物置は、ものの二、三十分で簡単に解体してしまった。すぐに粗大ごみに出せるように、形の揃《そろ》っている部品ごとにひとまとめにしてから、温かいコーヒーでも飲みたいと家に入ると、驚いたことに母が化粧をしている。

「お姉ちゃん、今日、免許証持ってるわね」

「勿論《もちろん》。バイクで来たんだもの」

「車、出して欲しいの。お買い物に行きましょう」

「これから？」

「今日しかないんだから、仕方がないでしょう。それとも、明日も来てくれる？」

「だって明日は仕事だもの」

母は鏡台に向かいながら、「そうでしょう」と少し険のある目つきになった。

「だから、出来るときにしておきたいのよ」

まったく、父もとんでもないときに怪我をしてくれたものだ。それにしても、この母とずっと一緒にいて、あれをやれ、これをしろと言われ続けてきたのかと思うと、初めて少しばかり、父が哀れにも思われた。

2

買い物というから近くのスーパーへでも行くのかと思ったら、母は都心のデパートを目指していた。道理で、きちんと服装も整えたはずだ。だが貴子は、今日は家の大掃除だけだと思っていたし、バイクということもあって化粧もせず、実にラフな服装のままだった。

「そうしてると、まだ二十代に見えるわね」

母は、褒めているとも皮肉ともつかない言葉で、申し訳程度に髪だけとかした貴子を一瞥《いちべつ》すると、「まあ、いいわ」と言う。

車の中で、母は実に饒舌《じょうぜつ》だった。父や妹たちのことをひとしきり話したかと思えば近所の誰それや友人の話になり、この頃世間を騒がせている事件の話になる。貴子が適当に聞き流しているだけでも、お構いなしにずっと話している。

「お母さん、元気ねえ」

「そう？　元気じゃなきゃ困るじゃないの」

「そうだけど。感心するわ」

「お母さんが元気だから、あなた達を健康に産んであげられたんだからね」

はい、分かりました。ハンドルを握りながら、貴子は不思議に穏やかな気分になっていた。以前は、こういう母のせわしなさや、やたらと口うるさい部分、言葉に刺《とげ》のある点などが気に障《さわ》って仕方がなかった。だが、こうして久しぶりに二人で外出してみると、母が老いなどを感じさせず、相変わらずのままでいてくれることが嬉《うれ》しい。犯罪と無縁で、伸び伸びとしてくれていることが有り難かった。

日頃の貴子は、たとえ母と同世代であっても、笑顔などとは無縁な人とばかり接している。被害者でも加害者でも、またはその関係者でも、貴子が接する人たちは、必ずといって良いほど怯《おび》え、緊張し、涙を流し、中には茫然《ぼうぜん》自失の状態であることも珍しくはない。何故《なぜ》、自分の身にこんな運命が降りかかってきたのか分からないまま、すがるように救いを求め、数え切れないほどため息をつく人を、この一年も貴子は数え切れないほど見てきた。

「さすがにすごい人ねえ！」

目的のデパートに着くと、母は戦意をかき立てられるように張り切った声を上げた。まずは上の階で日用品や衣料雑貨を見る。何か買おうとする度に「お姉ちゃんも、いる？」と聞かれて、貴子は時には苦笑し、時には素直に頷《うなず》きながら、母に従って歩いた。母は、新婚の妹や、まだ家にいる末の妹のことまで考えて、とにかくあれこれと買いたがった。地下の食料品売場に行く前に、貴子は両手に一杯の荷物を持つことになった。

一旦《いったん》それらの荷物を車にしまい、今度は地下に突入する。買い物客でごった返している人混みの中を、母はやはり実に精力的に、すいすいと歩いた。元来、人混みが好きではない貴子には、そのエネルギーは羨《うらや》ましいほどだった。やがて、物置を解体するときもかかなかった汗が滲《にじ》んでくる。

新年の我が家に、この頃では一体どの程度の来客があるものか知らないが、母は紅白の蒲鉾《かまぼこ》などのお節《せち》料理の定番は勿論のこと、日持ちのする菓子や茶から始まって、精肉、牛タンのスモークにスモークサーモン、添え物のケーパー、ピクルスの瓶詰めに海老《えび》、かに足、総菜類と、貴子の目には、ほとんど手当たり次第と思われるほどの品を買い漁《あさ》った。どの売場も過剰包装で、こちらがいらいらするほど待たされるのに、その間にも母は、次に買うものの目星をつけているのである。

「もう、いいんじゃない？」

荷物の重さと売場の暑さ、何よりも人混みにうんざりして、ほとんど哀願する気持ちで貴子が言うと、母は「ここではね」と答えただけだった。

「まだ何か買うの？」

「だって、お野菜なんかまだでしょう。明日になったら、もっと値が上がるんだから。ああいうものだって重くて大変なのよ。それからお昆布と、黒豆、ええと」

さっきから握りしめていた買い物リストを、老眼のせいで手を伸ばして眺める母は、どうやら昆布を見つけられなかったようだ。この人混みで、老眼鏡を取り出すのも嫌なのだろう。そう考えると、やはり母にも少しずつ老いが忍び寄っているのだと思わないわけにいかない。手が痺《しび》れるほどの荷物を提げながら、貴子は母が満足いくまでつき合うより仕方がないと覚悟を決めた。

「あなた、注連《しめ》飾りは？」

「しないわよ、そんなもの。マンションの入り口に管理人さんが松を飾ったから、それでいいでしょう」

「だから、福が来ないんじゃないの？　小さいお鏡餅《かがみもち》、用意してあるから、持っていきなさい。下駄箱《げたばこ》の上にでも飾ればいいからね」

車に乗り込むと、母は早速、老眼鏡を取り出して買い物のメモを確認し始めた。アメ横は人が多すぎる。車を停められるか分からないなどと相談しながら、結局、以前住んでいた下町の商店街に向かうことにする。貴子が生まれる以前から住んでいた辺りなら、勝手も分かっているし店の良し悪《あ》しも見当がつく。それが気楽だということになったのだ。

「でも、変わっちゃってるかしらねえ」

「多少は変わってるんじゃない？　どの町でも、よく見てると意外なくらいに入れ替わりがあるものだから」

辺りはもう暗くなり始めていた。道路の混み具合にもよるが、この分では、家に帰り着くのは早くとも七時、下手をすれば八時は過ぎるだろう。

「今夜はお鍋《なべ》でいいわよね。それなら、すぐに支度できるから。あら、いけない、ポン酢買うの忘れちゃった」

忘れっぽいのは年のせいではない。母は昔からそうだった。

3

久しぶりの下町の商店街も、夕闇《ゆうやみ》の中で特有の賑《にぎ》わいに満ちていた。方々から威勢の良い声が飛ぶ。手を叩《たた》くパンパンという音、福引きが当たったのか、鐘を鳴らす音などが響いて、小さな隙間《すきま》には注連飾りを売る小店が出ていた。どこから運んできたのか山ほどのスカーフを投げ売りしている出店があるかと思えば、その近くでは「燕《つばめ》三条」と染め抜かれた幟《のぼり》を立てて、スプーンやフォークを売っている。手編みらしい帽子だけ売っている若者がいて、その横の総菜店ではコロッケや焼き豚を山盛りにして売っていた。まるで、祭りの日の境内のような賑わいだ。

そこはかつて、貴子が学校の帰りなどに毎日通った道だった。ついつい懐《なつ》かしい気持ちで、それぞれの店を眺めて歩くことになる。母が蜜柑《みかん》を箱ごと買ってしまおうかと言い出したときだった。少し先で小さな悲鳴が上がった。一瞬、辺りが静かになり、整然と流れていたはずの人混みの中で、奇妙な動き方をしている人影が見えた。貴子は母と顔を見合わせ、自然に野次馬の輪に加わることになった。

「てめえ、ふざけやがって！　人のこと、馬鹿《ばか》にしていやがるのかっ、ええっ！」

明らかに酔っ払いらしい男がわめいている。殴り倒されたのか、地面に尻《しり》もちをついているのは、四十五、六歳に見える、小柄でひ弱な感じの眼鏡をかけた男だ。

「何、言ってるんだ。あ、あんたが列に割り込んだんじゃないか」

「列ぅ？　列って何だよ、ああ？」

「あ、あ、だから——」

やっと立ち上がった男の襟首を、酔っ払いはまたねじ上げようとする。年の頃は変わらないと思うが、こちらは明らかに力仕事をしている雰囲気だ。体格も違えば力も違うのは歴然としていた。その二人の向こうで、小さな袋を提げた少年が泣きそうな顔をして「やめてよぉ」と震える声を出している。その少年の手を、引きつった表情の女性がぐいと引っ張った。やはり眼鏡をかけて、地味なコートを着ている。殴られている男の妻子らしく見て取れた。

「あんた、やめろよ。タチ悪いな」

どこかの商店主らしい男が二人を引き離そうとした。すると酔っ払いは、眼鏡の男を突き飛ばし、今度はその商店主につかみかかった。

「俺は客だぞ、ええ？　どいつもこいつも、馬鹿にしやがって！」

暮れにはよくある風景だ。日頃は一人でも何とか孤独を紛らしている人間にとって、年末年始ほど侘《わ》びしいものはない。すぐ目の前に、いかにもささやかな幸福を守っている様子の家族連れを見て、男は失った何かを思い出したのかも知れないと貴子は思った。いずれにせよ、もう誰かが一一〇番をしている頃だ。じきに警察官が来るだろうと辺りを見回している間に、また悲鳴が上がった。いつの間にか酔っ払いの手に何かが握られている。スパナだ。これはまずいと思った時、人混みの中から一人の女性が「やめなさいっ」と怒鳴りながら飛び出した。

「何をしてるんですか。そんなもの、しまいなさいっ」

「何だ、てめえ。女のくせに、俺に説教しようっていうのか」

「女のくせにじゃないでしょう？　私は刑事なの。あなたを今、逮捕することも出来るのよ」

中肉中背の、髪の短い女性だった。貴子より大分若い、おそらく二十代の半ばを過ぎたばかりというところだろう。グレーのハーフコートに黒のパンツ、背中に小さなリュックを背負っている。片手にはブランドの紙袋。

「逮捕ぉ？　姉ちゃん、俺を逮捕しようってえのかよ。上等じゃねえか！　デカだかなんだか知らねえが」

言うが早いか、男がスパナを振り上げる。若い女性は素早く動いて、その腕に飛びつき、男の手からスパナを奪い取った。その動きは敏捷《びんしょう》で、よく鍛えられているようにも見えた。そして彼女は余裕のある表情で、後ろの野次馬に、そのスパナを持っていてくれなどと渡している。貴子は思わず「あ、馬鹿っ」と小さく叫んでしまった。スパナを奪い取られた酔っ払いが、背後から女性刑事に襲いかかったのだ。

「てめえ、ふざけやがって——」

酔っ払いが、女性の肩を摑《つか》んだところで、貴子は母の足下に荷物を置くと、人混みをかき分けていた。その間に殴られた女性は、人垣にぶつかるようにして倒れ込んでいる。また悲鳴が上がった。

「何だあ、その目は！　ブスが人をにらむんじゃねえ！」

さらに女性を引きずり起こそうとする酔っ払いの腕を、今度は人垣から抜け出した貴子が摑んだ。そしてそのまま後ろにねじ上げる。男の口からうめき声が洩《も》れた。酒臭い。おまけに垢《あか》と脂《あぶら》の入り交じったような体臭が全身を包んでいる。悪いが、今日は私服だ。こんな臭《にお》いを服に移されてはたまらない。

「好《い》い加減に、したら。女に手出すなんて」

「うるせえっ！　離せ！」

酔った男は馬鹿力を出して捻《ひね》りあげられた腕を振りほどこうとする。仕方がなかった。貴子は、その腕を元に戻すなり、相手を強く押し、その反動が戻ってくる瞬間に自分の腰を落として身体《からだ》を捻った。摑んだままでいた男の腕をぐっと引く。男の身体はふわりと貴子を乗り越えて、地面に落ちていた。即座に腹這《はらば》いにさせて、その背中に膝《ひざ》をつく。改めて腕を捻った。早く警察を、と言おうとしたとき、さっき殴り倒された女性が、貴子と一緒になって自分も男を押さえにかかった。その顔は、屈辱と悔しさとで涙さえ浮かびそうだ。

「あなた、刑事なの?」

貴子は小声で聞いた。彼女は、いかにもプライドを傷つけられた様子で、つんとしている。その頃になってやっと、制服の警察官がやってきた。パトカーの音がしなかったから自転車だろう。鋭い笛の音と共に「何、やってるっ」という声が響いた頃には、辺りには拍手が起こっていた。

「ご協力、感謝します。お名前とご住所、教えて下さい」

二人の警察官が酔っ払いを引き起こしたところで、女性が言った。貴子は、改めてその女性を見つめた。

「今、勤務中?」

一瞬、答えに詰まったように、彼女はこちらを見る。

「私は、今日は非番なの。暮れの買い物に来てるだけ。あなたが馬鹿なことをしなかったら、通り過ぎてたわ」

初めて、彼女の表情が動いた。口の端が赤く腫《は》れている。可哀想《かわいそう》に。痣《あざ》の顔で新年を迎えることになるだろう。

「言っておくけど、刑事だなんて大威張りで喋《しゃべ》ってると、また痛い目に遭うわよ。周りをよく見て判断しないと、かえって人騒がせなことになりかねないんだから。『だから女は』って言われるわ」

「あの、あなたは——」

「言ったでしょう？　今日は非番なの」

「あの、じゃあ、所属を教えて下さい。お名前は」

急に瞳《ひとみ》を輝かせて話し出す彼女に、貴子は、それよりも警察官につき添って交番へ行くべきだろうと言ってやった。人垣はもう崩れ始めていて、野次馬たちは何事もなかったように、買い物の続きを始めたようだ。崩れた人垣の中で、足下に買い物袋を置いたままの母だけが、しかめ面《つら》で立っていた。

「恥ずかしいんだから」

母の鋭い囁《ささや》きを聞きながら、貴子は涼しい顔で荷物を持ち上げた。

「だったら、今の場面を放っておくべきだったんですかっ」

追いすがるように、若い女性刑事がついてきた。仕方なく、貴子は正面から彼女を見つめた。

「だって、現にあなた殴られたじゃないの。これだけ男手のある中で、あなただけ張り切ってどうするの。そういうのは人助けじゃなくて、出しゃばりよ」

若い女刑事は、ショックを受けたように口を噤《つぐ》んでしまう。その顔に「よいお年を」とだけ言って、貴子は母に目配せをして歩き始めた。今の一部始終を見ていたのか、すれ違う何人かが、興味津々《しんしん》の表情で貴子を見て通る。

「何だって、こんな強い子になっちゃったのかしら。これじゃあ、息子と歩いてるみたいじゃない」

母はしばらく文句を言い続けていた。

「偉そうに、説教までしちゃって。来年くらいは、そろそろ再婚を考えてもいいんじゃないかと思ったのに、これじゃあ、きっと無理だわね。道端で大の男を投げ飛ばす娘なんて」

母は、それからも一人でぶつぶつと文句を言い続けた。

「いつの間に――」

「お母さんの子だからね」

せわしない暮れの雑踏の中で、貴子は澄まして母の顔を覗《のぞ》きこんだ。母はふん、と鼻を鳴らすと、やはり蜜柑も買うことにすると言った。

「あんたが重くて大変なんじゃないかと思ったけど、もう、そういう心配はしないことにした。気を遣って損しちゃった」

蜜柑も結構だが、ポン酢を忘れてもらっては困ると言い返しながら、貴子は母と並んで歩き続けた。

殺人者

男は殺人者だった。梅雨のむし暑いさなかに、三人の人間を見るからに残忍な手口で殺害した。

だが男は、今日もごく一般の市民と同様に、自由に街を動き回り、日々の暮らしを営んでいる。夏が過ぎ、秋風が立って、やがて木枯らしに取って代わられても、男の生活は特段の変化も見せず、しごく淡々と過ぎていた。男の身柄を確保し、裁きの場に引きずり出すまでの証拠がないからだ。幼い少女を含む三人もの犠牲者が出たというのに、彼らの生命を奪った凶器――彼らの頭蓋骨《ずがいこつ》を潰《つぶ》した、かなりの重量があると思われる置物様の何かと、柔らかい皮膚を十数カ所に渡って突き破った刃物と推定されている――が発見されていなかったし、男の周辺からも、返り血を浴びた衣服や靴などといった物的証拠が一切見つかっていなかったからだ。だからといって勿論《もちろん》、シロとはいえない。男にはアリバイはなかった。それでも男は犯行を否認し続けた。結局、警察は男の身柄さえ拘束出来なかった。

男が殺人者であることは間違いないと、夏から一日も休むことなく捜査に従事してきた刑事たちの大半は、そう信じていた。無論、見込み捜査が危険なことくらいは百も承知している。新たな真犯人が現れる可能性がまったくないとは言い切れない。だが、捜査のプロが何カ月もかけて、被害者の周辺をそれこそ虱潰《しらみ》しに調べて歩いた結果の、それは確信だった。

捜査本部は縮小され、専従捜査員も減らされて、それでもなお、残った刑事たちは毎日呪文《じゅもん》のように「被害者を成仏《じょうぶつ》させてやりたい」という言葉を呟《つぶや》きながら、黙々と捜査を続けた。同じ道を何度となく歩き、同じ角を曲がり、同じ扉を叩《たた》いて過ごす。少しでも目新しい情報を摑《つか》めば、その都度すがるような気持ちでぶつかっていく。靴の底は瞬《また》く間にすり減り、既に四足を履きつぶした刑事もいた。

クリスマスの飾りはとうに取り払われて、街角には松飾りを売る店や、ぽち袋、正月用品などを売る店が出ていた。不景気とは言いながら、さすがに両手に荷物を提げた人たちが慌《あわ》ただしく行き交う大晦日《おおみそか》の昼下がりだった。

「俺も、新年からはせめて靴だけでも新しくするかな」

「さすがの島さんもかい」

「ここんとこ毎日のように靴下に穴が空くもんで、女房のお袋に文句を言われてかなわねえからさ」

横断歩道の手前で信号待ちをしながら、島本が仲間と言葉を交わしていたとき、目の前に一台の車が止まった。助手席のウィンドウが下ろされ、中から見覚えのある笑顔が「今、お帰りですか」と話しかけてくる。島本は「よう」と顔をほころばせた。

「今日くらいは早く上がれって言われてさ。そっちは」

信号が青になった。横断歩道の真ん中に取り残された形の車は、人の波に呑《の》み込まれていく。

「夕方で上がりです。去年は泊まりだったんですけど」

今、追いかけている事件が発生した当初に、最初にコンビを組むことになった女刑事だった。色々な噂《うわさ》は聞いていたが、下手に癖の強い刑事よりもよほど気楽な相手だった記憶が島本にはある。若い捜査員にありがちな妙な気負いも、理屈っぽく語るところもなく、その上、かなりの根性の持ち主だ。今、捜査本部に残っている刑事たちがクロだと確信している男を最初に探り当てたのも、この音道という刑事と島本とのコンビだった。

「済まんな、なかなかホシが挙げられなくて」

最初に捜査本部が縮小され、彼女が本来の持ち場に戻ることになったときに、島本はこの女刑事に後のことは心配するなと請け合った。あの時の、彼女の日焼けした腕と悔しそうな顔を、島本はよく覚えている。

「こちらこそ、何だか途中で放り出しちゃったみたいで、気になってるんです」

「あんたのせいじゃあ、ないさ。それに、あのヤマにだけ関わってられるほど、あんたらだって暇でもないんだろう」

音道はわずかにはにかんだような表情で小さく頷《うなず》く。信号が青の点滅に変わった。こりゃあ、いかん。仲間も待たせていることだし、早く渡ってしまおうと思ったときに、「奥さんは」という言葉が聞こえた。

「いかが、ですか」

「これから行くんだ。ああ、赤になっちまう」

じゃあな、と言い残して、島本はもう赤になった横断歩道を走り抜けた。反対側に渡ったところで振り返ると、ハンドルを握っていた、やはり見覚えのある刑事が小さく会釈《えしやく》しながら車を発進させたところだった。その向こうで、音道が小娘のように手を振っていた。

駅から吐き出されてくる人の多さに比べて、これから電車に乗ってどこかに出かけようという人間は少ないようだった。島本を含めた刑事たちは、空《す》いている電車にかなりの隙間《すきま》をおいてゆったりと腰掛け、互いに言葉を交わすこともなく、ぼんやりと大晦日の陽射《ひざ》しに揺られた。

「半年過ぎたところで、また減らされるんだろうな」

やがて、一人が電車の中吊《なかづ》り広告を見上げながらぽつりと呟いた。誰も返事をしない。そうなる前に、何とか解決に持ち込みたいという思いは、皆が抱いているに決まっている。

「今日こそ、明るいうちにゆっくりと風呂《ふろ》に入るぞ」

もう一人がまた呟いた。

「島さんもさ、今日こそは一年の垢《あか》を、思い切り落としなよ」

半ば冷やかすような笑顔で言われて、島本は奇妙に顔を歪《ゆが》めた。言われるまでもなく、今日こそはガキどもと一緒に風呂に入り、奴《やつ》らのことも丁寧に洗ってやるつもりだ。日頃は父親らしいことも出来ないのだから、それくらいはしてやりたかった。

仕事納めだからといって、特別な挨拶《あいさつ》もせず、普段と同じに軽く手を上げて見せただけで、島本は二つ目の駅で電車を降りた。乾いた風と弱々しい陽射しの中に身を置き、垢じみて冷たく感じられるコートの襟を立てて歩くうち、去年、一昨年、その前の年の大晦日が思い出された。それにしても大晦日というと、なぜだかいつでも上天気だ。上天気の乾いた青い空の下を、島本はいつでもこの道を歩き続けてきた。

「あら、島本さん、身体《からだ》につけてきたもの、ちゃんと落として下さいね」

病院のエレベーターを降りたところで、顔見知りの看護師に声をかけられた。島本は慌ててコートの胸を叩いて見せた。

「そうそう、埃《ほこり》もそうだけど、ほら、まさか、また変な虫なんか、くっつけてないでしょうね」

彼女はこの数カ月というもの、島本の顔を見る度に同じことを言うのだ。今の事件の被害者を検死している時に、ズボンの折り返しに蛆《うじ》を入れたまま来てしまったことがある。一、二匹は署に戻ったところで気づいたのだが、まだ残っていたらしく、ズボンをはい上がろうとしていた蛆を見つけたのが、この看護師だった。改めてズボンの折り返しを見たら、さらにまだ一匹残っていて、看護師たちは悲鳴とも喚声ともつかない声を上げたものだ。仕事柄だ、仕方がないではないかと、島本は気にもとめなかった。

「患者さんたちには雑菌は大敵なんですからね、大丈夫？　お願いしますよ」

「俺をばい菌みたいに言わないでくれよ」

多少憮然《ぶぜん》とした表情で言い返すと、看護師はくすくすと笑う。

「今日は午前中に身体を拭《ふ》いてあげてね、さっき、お母さんが髪を切ってあげたから、さっぱりとお正月を迎えられますよ」

それだけ言い残し、看護師はナースシューズの音を響かせながら歩いていく。常に忙しそうな彼女は、おそらくは女房と同年代だと思う。大きな尻《しり》を振って、たくましい足でのしのしと歩く女だった。昔の女房と同じだ。

病室に足を踏み入れると、最初に島本に気づいた次男坊が、飛び跳ねるような格好で駆け寄ってきた。

「遅かったじゃないか、待ってたんだよっ」

ごめん、ごめんと次男坊の頭を撫《な》で、二つのベッドの前を通過する。それぞれには静かな病人がいつもと変わらずに横たわっていた。いずれのベッドも枕元《まくらもと》には千羽鶴《づる》やお守り札などが下がり、中央のベッドサイドに置かれたカセットデッキからは、静かな環境音楽が流れていた。

「お隣りね、さっきまで、お母さんがいらしたのよ。暮れで、何かと忙しいからって早く帰ったけど。少しでも淋《さび》しくないようにって、そのテープかけていったけど、何だかねえ、離婚するとかしないとか、そんなこと言ってたわ」

女房のベッドと窓の間にいた義母が「お帰り」という言葉に続けて言った。その横では今度の春には四年生になる長男が、祖母を手伝って黙々とタオルを畳んでいる。

隣りの患者は、確か、まだ二十歳そこそこだという話だ。三年ほど前にスキー場での事故で、こういう状態になった。

「あの子のことで、家の中がごたごたしたんでしょう、きっと」

確かに、重病の患者を抱えた家族が、その後、離散したり不和になるという話を、島本はこの病院に通うようになってからずいぶん聞かされている。病室の一番入り口寄りに横たわる三十代の患者も、最近ではほとんど見舞いに訪れる者もないという。この病室の患者は誰もが喋《しゃべ》らない。何も語ってくれないからこそ、身内は余計に不安になるのだ。

女房の枕元に歩み寄り、丸い額をそっと撫でながら、島本は「来たぞ」と声をかけた。一カ月ほど前に痙攣《けいれん》発作を起こして以来、再び人工呼吸器を装着された女房は、鼻からも喉《のど》からもチューブを通された格好で、シュー、コン、シュー、コンという独特の音に包まれたまま、相変わらず眠っている。

「何か、気がつかない？」

「髪の毛、切ってもらったんでしょう」

義母が「あら、気がついた」と笑った。島本は看護師から聞いたことは内緒にして、女房の黒々とした豊かな髪を撫でた。不思議なものだ、本人は眠ったままで何も気づかないというのに、事故に遭う以前には少し目立ち始めていた白髪さえ消え失《う》せて、いかにも健康そうに伸び続けている。

「じゃあ、爪《つめ》は俺が切ろうか」

島本は、ベッドの脇《わき》に置かれた小引き出しから爪切りを取り出し、妻の白い手を持ち上げた。以前は小麦色に焼けて、かなりたくましく、様々な表情を持っていた手も、他の箇所と同様に筋肉がそげ落ち、蠟《ろう》のように白くなった。細長く、弱々しい手を持ち上げ、島本はパチン、パチンと音を立てて妻の爪を切った。健康だったときには、こんなことはただの一度もしてやったことなどない。

「血中酸素も大分安定してね、規準値の九十五パーセント以下になるっていうことは、なくなってきたらしいの。だけど呼吸器は、まだ当分外さない方がいいんじゃないかって」

女房の母は、飛び跳ねて遊んでいる次男坊を自分の方に引き寄せながら、声をひそめて話し始めた。次男は祖母の腕をすり抜けると、素早くベッドを回り込んで、島本に絡《から》みつこうとする。それを、長男が「こら」と制した。

「お母さんの爪、切ってるんだろう。危ないじゃないか」

女房が事故に遭ったとき、この長男は幼稚園児、次男坊はやっと二歳になったばかりだった。次男を実家に預けてパートに出かける途中で、彼女は交差点で大型トラックに巻き込まれ、乗っていた自転車ごとなぎ倒された。一命を取り留めはしたものの、以来、彼女はずっと眠り続けている。

「ねえ、お父さん、新しいゲームが欲しいんだってば。買いに行きたい！」

生き生きと動き回っていた母親の記憶をほとんど持たない次男坊は、こうして病院に連れてきても、特別な感慨は持たない様子だった。幼いせいもあるだろうが、ただ眠っているだけの母親に対して、どういう態度をとれば良いのか分からないらしい。

それも哀れな話だと島本は思う。

「明日になったらお年玉もらえるんだから、それで買えばいいだろう」

「違うよ。お父さんがいいって言ったら、お祖母《ばあ》ちゃんが買ってくれるの！」

「お祖母ちゃんが？」

反対側の手の爪も切り、さらに足の爪を切る間も、次男坊は島本にまとわりつき、よほど欲しいらしいゲームソフトの話ばかりしている。それに触発されたのか、黙って我慢していた様子の長男までが「じゃあ僕も」と言い出した。

「ねえ、いいって言ってくれよう。買いに行きたいんだよう」

「だって、お父さん、今来たばかりじゃないか。ちょっと待てよ」

「お父さんに、一緒に行ってくれなんて言ってないよ。ただ『いい』って言ってくれるだけでいいんだって。ねえ、ねえ、ねえ！」

「そうしたら、僕たち先に帰って、ゲームやって待ってるからさ。お父さん、ゆっくり帰ってくればいいじゃない」

長男まで身を乗り出してきた。結局、その勢いに圧《お》された形で島本は「分かった」と言うしかなかった。

「その代わり、二人で一つだ。いいな？」

「じゃあ、お祖母ちゃんが一緒に買いに行こうね。こんな暮れに、あんたたち二人じゃあ、物騒だから」

祖母が苦笑しながら帰り支度を始めた。

「どうせ明日また、『明けましておめでとう』を言いに来るんだから、お母さんも『いってらっしゃい』って言ってくれるよね」

長男が少し不安げな表情に戻って、女房と島本を見比べる。島本は大きく頷いて見せた。母親が入院した当時、幼稚園にも行かなくなってしまった長男は、弟に比べてかなり繊細で、大人の顔色を窺《うかが》うようなところがある。

「信治さんも、今日はうちに寄ってね。お正月は皆で迎えましょう」

最後に義母はそう言って、子どもたちと一緒に病室から出ていった。いつの間にか、流れていた音楽も止《や》んで、病室にはシュー、コン、シュー、コンという人工呼吸器の音と、心拍数を数える電子音だけになった。女房の実家が近くて助かった。そうでなければ島本は子どもたちを高知の親許《おやもと》へでも預けなければならなかっただろう。

「今年も終わりだってさ。早いよなあ」

他に人気がなくなると、島本は声に出して女房に話しかけ始めた。ベッドの脇に置かれた、看護師たちがサチュレーションと呼んでいるモニターには、現在の女房の心拍数、血中酸素量、心電図が映し出されている。生きている。まったく動かない彼女の中身が、今も間違いなく活動していることが数字で分かる。

「結局なあ、今年中には片づかなかった」

女房が元気だった頃には、仕事の話など聞かせた例《ためし》がなかった。だが、こういう状態になってしまうと、他に話せることも見つからない。多くても月に二、三度しか立ち寄ることも出来なかったが、その度に島本は、事細かに仕事の話を聞かせた。

「だが、俺らは諦《あきら》めてない。野郎は絶対にクロなんだ。絶対な」

ぽつり、ぽつりと語るうちに、太陽は瞬《また》く間に西に傾き、窓から見える空は色を失った。空調が効いているから寒いはずがないのだが、それでも部屋の四隅から、夜の気配と共に、ひたひたと外の冷気が忍び寄ってくる気がした。

「なあ、お前、好《い》い加減にな、あんまり眠りっぱなしだと、目が覚めてからのショックがでかいぞ。相当なもんだぞ」

すっかり瘦《や》せて、色白になって。そういう意味では、ちょっとは喜ぶかな。だけどガキどもは、もうお前に抱っこもされやしない。

このところ、彼女は痙攣を起こしたり発熱することが増えてきている。体力そのものが低下している気がする。

大晦日《おおみそか》の病室は静かだった。島本は、息をひそめて女房の顔を見つめていた。肉が落ちたせいで鼻梁《びりよう》が尖《とが》り、少しばかり日本人離れした顔立ちに見える。自分は無理に女房を生かしているのではないか、無理に呼吸させているのではないかという思いが、いつもと同様、頭に浮かぶ。

時折、病室の外をナースシューズの音が通過する。この同じ状況で、何度同じ質問をこの横顔にぶつけたことだろう。もうすぐ六年だ。六年も寝かされている身にもなれと、以前の女房なら、そう言ってぷりぷり怒ったに違いないと思う。

——あたし、嫌いなのよね、白黒はっきりしないのって。

女房の口癖を思い出した。そういうヤツなのだ。知り合った頃こそ、それなりにしおらしくて可憐《かれん》な部分もあったと思うのに、子どもを産むごとに、瞬く間にたくましくなりやがった。不思議なもので、こうしてじっと見つめていると、今この瞬間にも、彼女が動き出しそうな気がしてくる。これまで数え切れないくらいに陥った錯覚に、またもや囚《とら》われそうになる。

再びナースシューズの音が通過していった。空の色は、淡い藤色に変わりつつあった。もうすぐ、窓にはぺたりと闇《やみ》が貼《は》りつくことだろう。そして、今年最後の夜が来る。島本は、改めて女房の顔を見つめた。どうしたってため息が出る。もはや辛《つら》いとか、悲しいというのとも異なる。ただ、やり切れない。

——お父さんが、そう思うんなら。

ふいに耳の底でそんな声が聞こえた気がした。島本は思わず胸がぎゅっと縮むのを感じ、生唾《なまつば》を飲み込んだ。確かに聞こえた気がする。いや、気のせいだ。だが——。

「——見せて欲しいんだよ。お前にその気があるのかどうか。生きるつもりがあるのか。なあ、そうだろう？」

機械に頼らなければ呼吸もままならないというのなら、事態は明らかに悪い方へ向かっているということだ。せめて自分で生きようとしている証《あかし》を見せてほしい。何度繰り返し考えても、この状態が誰にとっても、何より本人にとって望ましいものでないことは明らかなのだ。

「――いいか」

眠ったままの女房に、島本は再び囁《ささや》いた。万が一、呼吸が戻らなくても、そのまま女房が冷たくなっても、すべての責任は自分が負えば良い。それでも、今のまま宙ぶらりんを続けるよりは、まだましだ。

「――当たり前だろう？　おふくろさんや、俺が元気なうちはいいけど、そのうち、チビどもの肩にのしかかる可能性だってないとは言い切れないんだ。そんな風には、なりたくはないだろう」

静かな横顔に囁きながら、島本は次の一瞬がすべての運命を変える可能性もあることを十分に自分に言い聞かせていた。今日で一年が終わる。それと共に刑事として生きてきた自分のすべても、終わるのかも知れない。指で呼吸器のスイッチを探る。彼女の顔を見つめたまま、祈るような気持ちで、ほんの少しだけ指先に力を込めた。その瞬間、病室に満ちていたシュー、コン、の音が、ぴたりと止んだ。

本当の静寂が辺りに広がった。島本は、大急ぎで女房の顔に耳を寄せた。数秒の間に、ありとあらゆることが頭の中で駆け巡った。仕事。息子たち。老いた義母――。その時、耳元ですうっと息を吸い込む音がした。薄く開かれた唇は荒れてひび割れている。その淡いピンク色の唇の間から、確かに空気が吐き出された。

全身から汗がどっと吹き出した。崩れ落ちるように、島本は、再び椅子《いす》に座り込んだ。女房の薄い胸が、布団《ふとん》の下で規則正しく上下に動いている。

「そうだよな——お前は、やる気満々の母さんだもんな」

自力で呼吸し、やがて、眠っていた脳を自力で目覚めさせる。そう信じてやるより他にない。それを待つより他に、出来ることはなかった。

「そういえばな、前に女の刑事と組んだ話、しただろう。今日、ここに来る前に会ったんだ、偶然な。お前のこと、心配してるみたいだったぞ」

気を取り直すつもりで話し始めたとき、胸のポケットで携帯電話が鳴った。

「島さん？　悪いんですが、ちょっと戻れないかって。野郎が変な動きをしてるらしいんで」

捜査本部のデスク要員の声だった。島本が「了解」と答えた時、病室の入り口に例の看護師が現れた。彼女は島本を見るなり眉《まゆ》をひそめて「もうっ」と言った。

「病棟で携帯電話は使わないで下さいって、方々に貼り紙がしてあるでしょう？　ここは電子機器が多いんですから、調子が狂って患者さんにもしものことがあったら——」

最後まで聞く前に、島本は脱いでいたコートに手を伸ばし、病室の出口に向かって歩き始めていた。

「仕事なんでね、すんません」

呼吸器を止めたことが分かったら、なおさら面倒だ。島本は「よろしく」と肩越しに手を振って、薄暗い病棟の廊下を歩き始めた。殺人者が動き始めたという。もしかすると年内に目処《めど》がつくだろうか。まだ諦めるのは早いということだ。島本は乾いた寒風の中に飛び出した。

——俺が、殺人者になるところだった。

振り返ると、それぞれの病室の明かりが、薄闇の中で目立ち始めていた。口の中で女房に「ありがとな」と呟《つぶや》き、コートの襟を立てる。今夜こそ、息子たちと風呂《ふろ》に入りたいのだ。せめて小ざっぱりと新年を迎えたいと半ば祈るような気持ちで、島本はすっかり人気のなくなった道を、再び駅に向かって歩き始めた。

音道貴子に会いたい

重里徹也

注意深くしていないと見逃してしまうくらい何でもないのだけれど、とても貴重で、かけがえのない時間というものがある。実は、このような時を過ごすために生きているのかもしれないとさえ、思えるような。

この短編集の魅力の一つは、そんな時間がときどき流れることだ。ああ、そうなんだよな、何も派手な驚きや楽しみだけが人生なんじゃない。しみじみとかみしめるような、じわじわと湧《わ》いてくるような喜びが、実は人生の醍醐味《だいごみ》だったりするのだ。物語を楽しみながら、改めて、そう思う自分に気づく。

たとえば、夜勤明けにゆっくりと入る風呂《ふろ》。体の凝りがほどけていくような感じ。ストレスがお湯に溶けていく感覚。

風呂上がりのビール。つまみは枝豆か豆腐。ぼんやりとしながら、穏やかな風に吹かれれば、なおいい。

辛いカレー。当たり前のことだけれど、良質なカレーの辛さは、他のどんな食べ物の辛さとも違う。刺激的な味の向こうに複雑なおいしさが横たわっている。たまに、自分へのご褒美《ほうび》に、そんなカレーを食べる。

電車の窓から見える風景。仕事帰りに、満員電車の吊《つ》り革につかまりながら、ふと目にするものに心がなごむ。たとえ、それが何ということもないものであっても。ススキの穂とか。

正月の鏡餅《かがみもち》。小さなものでいい。置くところがなかったら、下駄箱の上に飾ってもいい。

こんなふうに数えていくと、いくつも列挙できる。今、挙げたのはすべて、この短編に出てくる、小さな喜びだ。一つ一つ、女性刑事の音道貴子が、身をもって教えてくれる。そう、日常に潜む喜び。彼女はそれに何と敏感なのかと思う。

そして気づくのだ。それは、彼女がいかに厳しい仕事をしているかの裏返しだろう。ハードな勤務に耐える日常を送っているからこそ、見えてくる日々の楽しさなのだろう。苦しい仕事をしている者にしかわからない、心安らぐ一時なのだろう。

警視庁の機動捜査隊に所属する彼女が初めて登場したのは長編小説『凍える牙《きば》』

（新潮文庫）だった。短大卒業後、母親の反対を押し切って警察官になった音道。離婚も経験した彼女は、ベテラン刑事とコンビを組み、謎《なぞ》の連続殺人事件を捜査する。オオカミ犬を追って、無人の高速道路をオートバイで突っ走った音道の姿が鮮やかだった。一九九六年夏の直木賞受賞作だ。

続いて、短編集『花散る頃の殺人』（同）。警察という男社会で、日々、悩んだり、喜んだりしながら仕事に励む音道の姿が、六つの作品で描かれていた。女性の出したゴミをあさる変質者、安ホテルで変死した老夫婦、援助交際をする女子高生たち。殺風景な事件を追いながら、季節の移ろいの中に音道の姿が描かれていた。次は、長編小説『鎖』（同）。音道が絶体絶命の危機に陥るサスペンスたっぷりの作品だった。緊密な文章が記憶に残っている。でも、この作品で音道は、昴一《こういち》という男性と知り合うことになる。

そして、この短編集『未練』という順番になる。なお、この後、短編集『嗤《わら》う闇《やみ》』（新潮社）が刊行されている。

短編集で描かれる音道の肖像は、とても身近な感じだ。一人暮らしの女性刑事が等身大で描かれているといえばいいだろうか。この『未練』にも六作品が収録されているが、音道の日々が丁寧に描き込まれている。そんな中で、冒頭に紹介したように、何気ないけれど貴重な時間のすばらしさも浮き彫りにされるのだ。

この短編集でも、音道はいくつかの悲惨というしかない事件に直面する。機動捜査隊に勤務する彼女は、一一〇番があると、捜査側の人間の中で、最も早く現場に着くことが多い。未知の事件にいきなり出くわす部署なのだ。

古物商殺しや保育園での女児の不審死など、音道は残虐《ざんぎゃく》な事件を解かないといけない立場に立たされる。ただ、作者の筆は謎解きをすることに、それほど比重を置いていない。

逆に、多く描かれているのは、犯人だと思われる人間が逃げおおせている無念さであり、重い過去を背負う男の哀《かな》しみであり、殺人犯の周囲の深刻な人間模様だ。

作者は、この短編集で音道に積極的に、そんな人間模様の中に飛び込ませている。事件の背後にある人間関係が徐々に明らかになっていく中で、音道は自問し、同僚と会話し、恋人と電話で話す。その時に起こる、この世を確かに生きているという感覚。それこそが、音道貴子シリーズの面白さではないだろうか。

乃南さんの文章は、このシリーズに限らず、いつも、隅々にまで、神経が行き届いている。乃南さんの文章を物にたとえると、陳腐なたとえだが、ガラス細工や金属細工ではなくて、何か生きている有機物のような感じがする。

つまり、どこかを切ると血が噴き出たり、肉が見えたりする感じ（どうも、へたな比喩《ひゆ》でごめんなさい）。文の末尾や、どうということもない接続詞にも、体温が通っている感じといえばいいだろうか。

だから、読んでいて、こちらの心が潤《うるお》ってくる。不思議に元気づけられる。そんな文章だと思う。

そして、読んだ後に感じるのは、音道の肖像のくっきりとした印象だ。音道の輪郭がはっきりと見えてくる。

彼女は、ある意味で柔軟な女性ではないと思う。どちらかといえば、スクエアな感じ。グキッ、グキッとその性格が、ときどき、あらわになる。

たとえば、悪い者を許さない。犯罪も憎むが犯罪者も憎む。彼には彼の事情があるんだ、ということはよくよくわかっているけれど、一線を越えたことに対する責任は厳しく追及する。ましてや、彼をそんなふうに追い詰めた者がいれば、容赦がない。いいものはいい。悪いものは悪い。そこに言い訳はありえない。人には、どんな場合にも、踏み外してはいけない道がある。

音道は、中途半端を好まない。仕事には誠心誠意、努力する。捜査の辛《つら》さに、心の中ではぼやきながらも、それを振り切って、やらなければならないことに邁進《まいしん》する。軽薄に仕事をする人間、自分の仕事がよくわからずに、いたずらに張り切っている人間は、厳しくたしなめる。

彼女のそんな性格は、男性との付き合い方に、よく表れている。男と女が付き合うとは、どういうことか。男は女に何を与え、女は男に何ができるのか。音道は自分の心をごまかさない生き方を選ぶ。

表面的な感情に押し流されたり、一時の雰囲気に負けたりしないように心がけている。自分自身の心が何を求めているのか。絶えず、自身の本音に耳を傾け、自身の心が求めていることに従う。そんな音道の性格の背景には、おそらくは、いくつかの苦い人生経験から得た教訓もあるのだろう。

背筋を伸ばして生きている音道は、困難に陥った時にも、いたずらに騒がず、じっくりと再生の時を待つ。

この短編集に収められた「山背吹く」は、そんな作品だった。この物語で、音道は決定的なダメージを負って登場する。そのダメージは、『鎖』で描かれた事件なのかもしれない。悪夢にうなされ、快い睡眠をなくし、仕事にも、人生にも、前向きな思いを失っている。

でも、不器用な音道だからこそ（だいたい、この人の世において、器用さがどれ程の意味を持つだろう？）、復活する軌跡は感動的だ。その内容は作品を読んでいただくとして、ここでは一つのことだけを指摘しておこう。

旅で訪れた宮城県・牡鹿《おしか》半島の景観が、彼女の心に対して啓示のような働きをするのだ。

乃南さんの作品では、よく風景が登場人物と有機的にかかわる。人物の心情を風景が暗示するのではない。風景と人物の心が濃密に関係しながら、風景が彼や彼女の人生を前へ押し出すのだ。これは、現代人の精神を救うものがどこにあるのか、という問いへの作者の象徴的な答えの一つなのだろうと思う。

もちろん、音道が自分自身の心に忠実に生きているからこそ、景色がそんな贈り物をするのだろう。安易に融通のきかない生き方をしているからこそ、自然も人も、彼女にさまざまな恵みをもたらすのだろう。乃南さんの小説を読んでいると、いつか、オートバイにまたがった音道に会えるような気がしてくる。きっと彼女は怖いくらい澄んだ目で、事件の中心を見据えているのではないだろうか。

（二〇〇四年十二月、毎日新聞編集委員）

この作品は平成十三年八月新潮社より刊行された。

女《おんな》刑事《けいじ》音道《おとみち》貴子《たかこ》　未《み》練《れん》

新潮文庫　の－8－5

平成十七年二月一日発行
平成二十九年十二月二十五日二十刷

著者　乃《の》南《なみ》アサ
発行者　佐藤隆信
発行所　株式会社新潮社

郵便番号　一六二－八七一一
東京都新宿区矢来町七一
電話　編集部(〇三)三二六六－五四四〇
　　　読者係(〇三)三二六六－五一一一
http://www.shinchosha.co.jp

価格はカバーに表示してあります。

乱丁・落丁本は、ご面倒ですが小社読者係宛ご送付ください。送料小社負担にてお取替えいたします。

印刷・大日本印刷株式会社　製本・憲専堂製本株式会社

ISBN978-4-10-142538-2　C0193